LERNPUNKT DEUTSCH 1.

Wadern 9 km
Weiskirchen 14 km

Lockweiler 6 km

Freibad
Sportplatz

WOB 1999

PETER MORRIS
ALAN WESSON

Nelson

Nelson
Nelson House Mayfield Road
Walton-on-Thames Surrey
KT12 5PL
UK

Cover Photography
Hundertwasserhaus: H. Wiesenhofer
The Austrian National Tourist Office
Schloß Neuschwanstein, Bayern:
German National Tourist Office
Volkswagen Concept 1:
Tim Andrew, Volkswagen Press Office

Photography
BGB Associates (Australian Tourist Commission):
p87
Mary Evans Picture Library: pp49, 136
Trevor Hill: pp86, 110, 130
Hutchison Library, The: pp49(2), 66, 71(2)
Images Colour Library: pp18, 87,
Images/Horizon Ltd: p70
Pictor Ltd: pp86, 90, 91(3)
Quadrant Picture Library: p136
Redferns Music Library: p121(2)
Robert Harding Picture Library: p87
Science Photo Library: p90(2)
David Sparrow: p136
Zefa Pictures Ltd: pp14, 38, 49, 70, 71, 90(2),
91(2), 110, 130
All other photos by David Simson or supplied by
Nelson

Commissioning and development – Clive Bell
and Jennifer Clark
Marketing – Jennifer Clark & Rosemary Thornhill
Editorial – Rachel Giles
Concept Design – Eleanor Fisher
Production – Mark Ealden & Suzanne Howarth
Administration – Claire Trevean
Updated with New German Spellings – Irena Bagehorn

© Peter Morris and Alan Wesson 1996
This edition first published by Nelson 2000

Acknowledgements
JUMA
Jacinta McKeon
Rosemary O'Connell
Josef Pogadl
Heather Rendall
Robert Koch Schule,
Clausthal-Zellerfeld

Illustration
Nancy Anderson
Felicity Bowers
Annabelle Brend
Judy Byford
Susie Brooks
Peter Campbell
Madeleine David
Richard Duszczak
David Horwood
Fran Jordan
Maggie Ling
Jeremy Long
Mike Moran
Roddy Murray
Simon Neal
Francis Scappoticci
Tony Simpson
Tim Slade
Margaret Wellbank

ISBN 0-17-440269 4
NPN 9 8 7 6 5 4 3 2 1
03 02 01 00

Herzlich willkommen!

More people in Europe speak German as their mother tongue than any other language. **Lernpunkt Deutsch** offers you the chance to become a German speaker too!

You will learn useful and relevant language in **Lernpunkt Deutsch** – for instance, how to talk about yourself, find out about German-speaking people you meet, and cope in everyday situations.

You will take part in a wide variety of activities in the four skills of listening, speaking, reading and writing.

At the same time, you will learn how to see patterns in the language and understand German grammar. You will find short grammar reminders in each chapter (**Lerntipps**), plus separate activities to help you work out grammar rules for yourself and record them. There is also a complete grammar summary (Grammatik) at the back of this book.

Memorising vocabulary is one of the most important parts of language-learning. **Lernpunkt Deutsch** has activities with every unit to help you work out and remember key vocabulary. If you still find you need to check any meanings, there is a German-English/English-German vocabulary list at the back of this book.

You will also find many games and pairwork activities in **Lernpunkt Deutsch**, and at the end of each chapter there is a page called **Du hast die Wahl**. This contains writing and creative activities for you to work on by yourself.

In addition, the **Du hast die Wahl** pages feature listening activities such as tongue-twisters, songs, short TV adverts and a soap opera. If you have your own cassette, you may do all of these activities either in school or at home.

We hope you enjoy learning German with **Lernpunkt Deutsch**.

Viel Spaß beim Lernen!

Inhalt

1 Woher kommst du?

Hier lernst du ...

Guten Tag, ich heiße Anna.

Ich komme aus Deutschland.

Ich wohne in Marburg.

Wie schreibt man das?

A-L-E ...

dich vorzustellen   **über deinen Wohnort zu reden**   **Wörter zu buchstabieren**

1 Stell dich mal vor!

Wer fragt? Wer antwortet? Sieh dir die Fotos an und mach zwei Listen.
Beispiel

1 Frage   Antwort

Anja   ...

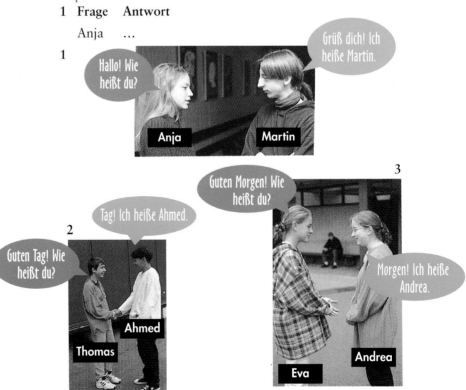

1

Hallo! Wie heißt du?

Grüß dich! Ich heiße Martin.

Anja   Martin

3

Guten Morgen! Wie heißt du?

Tag! Ich heiße Ahmed.

2

Guten Tag! Wie heißt du?

Morgen! Ich heiße Andrea.

Ahmed

Thomas

Eva   Andrea

2 🔲 Noch etwas!

Jetzt hör gut zu und ordne die Namen.
Beispiel

1 Martin, ...

3 Es geht mir nicht so gut!

Wie geht es dir heute?

gut
sehr gut
prima

nicht schlecht

furchtbar
schrecklich
nicht gut

4 Auf der Party!

Wie geht es diesen Jugendlichen? Trag die Tabelle in dein Heft ein.
Dann hör zu und schreib jeden Namen in die richtige Spalte auf.

Beispiel

Monika

Oguz Jens Monika Florian Renate Yilmaz Katharina Oliver

5 Jetzt bist du dran!

Wie viele Dialoge kannst du in zwei Minuten erfinden?
Beispiel

A Hallo! Wie heißt du?

B Ich heiße Abigail.

A Und wie geht's dir?

B Nicht schlecht!

Die Flagge ist …

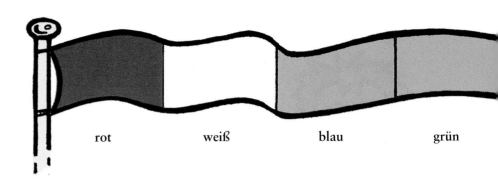

rot   weiß   blau   grün

1 📼 Woher kommst du?

Sieh dir die Landkarte an und hör gut zu.
Woher kommen diese Jugendlichen?
Beispiel
1 René – A

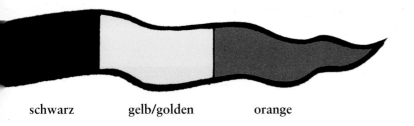

schwarz   gelb/golden   orange

Achtung!

in England	aus Deutschland
	ABER
in **der** Schweiz	aus **der** Schweiz

2 📼 Noch etwas!

Jetzt hör wieder zu. Alle sagen, woher sie kommen. Hast du recht?
Beispiel
1   René – aus Frankreich

3 Ich wohne in …

Was sagt jede Person? Schreib Sätze für sie auf.
Beispiel
1   René – Ich wohne in Straßburg.

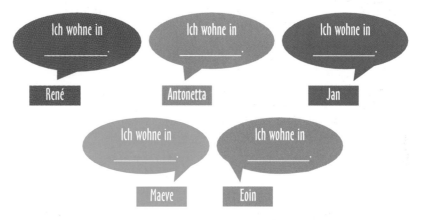

4 Noch etwas!

Und die anderen – was sagen sie? Schreib Sätze für sie auf.

5 Wahrheit verboten!

Mach ein ‚Wahrheit verboten‘ Interview mit deinem Partner/
deiner Partnerin.
Beispiel

A Wie heißt du?   **B** Ich heiße Goofy.

A Woher kommst du?   **B** …

Lerntipp		
Wie heißt du?	Woher kommst du?	Wo wohnst du?
Ich heiße …	Ich komme aus …	Ich wohne in …

1  Wo wohnt er? Wo wohnt sie?

Wo wohnt jede Person? Hör gut zu und schreib es in dein Heft auf.
Beispiel
Jochen – Hirzel

| Guido | Jochen | Martina |
| Mathias | Lili | Kirsten |

| Chemnitz | Trent | Hirzel |
| Hohenbrunn | Salzburg | Bonn |

2  Wo ist denn das?

Jetzt hör nochmal zu und sieh dir die Karte an. Welche Nummer passt zu welchem Ort?
Beispiel
Hirzel – 4

3 Quiz – was ist das für ein Ort?

Lies die Texte unten und füll die Lücken aus.

1 _____ ist eine Stadt in Deutschland in der Nähe von Dresden.

2 _____ ist ein Dorf in der Schweiz in der Nähe von Zürich.

3 _____ ist ein Dorf in der Nähe von München.

4 _____ ist eine Stadt in Südtirol.

5 _____ ist eine Stadt in der Nähe von Köln.

4 Ratespiel – Stadt oder Dorf?

Beschreib fünf Orte in Deutschland, der Schweiz oder Österreich. Kann dein/e Partner/in sie erraten?
Beispiel
Das ist ein Dorf in der Nähe von Dresden. (Chemnitz)

5 📼 **Hier wohne ich**

Hör gut zu. Wo wohnt jede Person?
(Achtung! Jeweils zwei kommen aus derselben Stadt!)
Beispiel

1 Claudia – a

a Lübeck

b Baden

c Braunschweig

6 📼 **Ich finde es dort prima!**

Jetzt hör nochmal gut zu und wähl ein Symbol für jede Person.
Beispiel
1 Claudia – 3

1 **2**  **3**

7 **Quiz – wer ist denn das?**

Hier sind Beschreibungen von zwei der Jugendlichen. Wer ist das?
Nina? Oder Anja?

a
Sie kommt aus Deutschland und wohnt in Braunschweig. Braunschweig ist eine Stadt in der Nähe von Hannover und sie findet es dort langweilig. Dort ist nichts los!

b
Sie kommt aus Österreich und wohnt in Baden. Baden ist eine Stadt in der Nähe von Wien und sie findet es dort prima! Dort ist viel los!

8 **Und deine Stadt oder dein Dorf …?**

Schreib eine kurze Beschreibung deiner Stadt/deines Dorfes.
Beispiel

Ich heiße Carol Grundy. Ich komme aus England und wohne in Gloucester – das ist eine Stadt in der Nähe von Cheltenham. Gloucester finde ich prima – dort ist viel los.

Lerntipp

Er Sie Max Tina	kommt aus	Er Sie Max Tina	wohnt in	Er Sie Max Tina	findet

Anja
Arif
Claudia
Frank
Julian
Nina

1 🔲 Das Alphabet

Hör zu und sprich nach.

A	B	C	D
ah	bay	tsay	day
E	F	G	H
ay	ef	gay	hah
I	J	K	L
ee	yot	kah	el
M	N	O	P
em	en	oh	pay
Q	R	S	T
koo	air	ess	tay
U	V	W	X
oo	fow	vay	ix
Y	Z		
upsilon	tset		

🔲 Hör nochmal zu. Welche Buchstaben fehlen jetzt?

Beispiel
E, …

2 Jetzt bist du dran!

Wie schnell kannst du das Alphabet aufsagen?
Kannst du es rückwärts aufsagen?

3 🔲 Wie schreibt man das?

Hör gut zu und füll die Lücken aus.
Beispiel
1 <u>KANTHAK</u>

1 _AN_ _A_
2 W_GL_ _
3 B_ _U_H_M_

4 _R_X_HU_ _R
5 _ _ _RS_HK_
6 S_U_HCO_ _

4 🔲 Europäische Besucher

Wie heißen die Besucher? Und wo wohnen sie?
Hör gut zu und schreib die Namen und Wohnorte auf.
Beispiel

Heißt	Wohnt in
1 Guglielmo Bomperini	Treviso

5 Buchstabenrätsel

Buchstabiert Namen von Mitschülern. Wie schnell könnt ihr sie erraten?
1 Buchstabe = 1 Punkt – aber wer <u>weniger</u> Punkte hat, gewinnt!
Beispiel

A C-L-A … **B** Clare Green?

A Richtig – drei Punkte. Jetzt bist du dran. **B** P-A …

A Paul Laming? **B** Richtig! Zwei Punkte für mich – ich gewinne!

6 Hast du ein gutes Gedächtnis?

Diese Leute kommen alle aus Kapitel 1. Wie heißt jede Person?
Sieh dir die Seiten 8 und 9 an, wenn du Hilfe brauchst.
Beispiel
 1 Er heißt Ruud.

1 Er kommt aus Holland und wohnt in Amsterdam.
2 Sie kommt aus Österreich und wohnt in Wien.
3 Er kommt aus Frankreich und wohnt in Straßburg.
4 Sie kommt aus Irland und wohnt in Galway.
5 Er kommt aus Belgien und wohnt in Brüssel.

7 Vier Sprechblasen

Jetzt hör gut zu und wähl für jede Person vier Sprechblasen
(das heißt, eine Sprechblase aus jeder Kategorie).
Beispiel
 1 b, …

Lerntipp

ich	heiße	du	heißt
	wohne		wohnst
	komme		kommst
	finde		findest
er	heißt	sie	heißt
	wohnt		wohnt
	kommt		kommt
	findet		findet

8 Prominente

Wähl eine Person und sag, wie er/sie heißt. Dein/e Partner/in muss sagen,
aus welchem Land er/sie kommt.
Beispiel

A Er heißt Nero.

B Er kommt aus Italien.

Italien

Österreich

Holland

Nero   Wolfgang Amadeus Mozart   Vincent van Gogh

Du hast die Wahl

1 Freunde!

Beschreib jemanden – einen Freund oder eine Freundin oder auch einen Star. Kleb auch ein Foto dazu, wenn du eins hast.
Beispiel

Meine Freundin

Sie kommt aus Schottland und wohnt in Glasgow …

2 Mein Lieblingsort

Beschreib deinen Geburtsort oder deinen Lieblingsort und kleb ein Foto dazu.
Beispiel

New York ist eine Stadt in Amerika …

3 ▭ Klassenkampf

Hör mal der ersten Episode der Serie zu: ‚Sebastian, Maria und eine Disko‘.

4 ▭ Aussprache

Hör gut zu und sprich die Wörter nach.

Heiße, heißt, Heidi, Heike, meine, eine, kleine, ein, deinen, meinen, mein, dein, klein, schreibt, schreib, Beispiel, zwei.

5 ▭ Zungenbrecher

Wie schnell kannst du diese Sätze sagen?

a Heißt sie Heidi oder Heike? Nein, sie heißt Heidrun – und sie heißt Mareike.

b Wohnt Walter in Waldorf oder Waldstadt? Nein, Walter wohnt in Waldshut.

6 ▭ UFO über Europa!

Wollo hat Probleme mit dem Motor in seinem Raumschiff. Sieh dir die Landkarte an und hör gut zu. Über welche Länder fliegt er? Wo verunglückt er?
Beispiel
Frankreich, …

Zusammenfassung

Grammatik

Verben (im Singular)			
ich heiße	ich wohne	ich komme	ich finde
du heißt	du wohnst	du kommst	du findest
er/sie heißt	er/sie wohnt	er/sie kommt	er/sie findet

Jetzt kannst du ...

dich vorstellen

Hi/hallo/guten Tag/Tag/Grüß dich.	Hi/hello.
Guten Morgen/morgen.	Good morning.
Wie heißt du?	What is your name?
Ich heiße Alex.	My name is Alex.
Und wie geht es dir?	And how are you?
Mir geht's ...	I'm ...
gut/sehr gut/prima.	well/very well/great.
nicht schlecht/nicht gut/furchtbar.	not bad/not good/awful.

über deinen Wohnort reden

Woher kommst du?	Where do you come from?
Ich komme aus England.	I come from England.
Und wo wohnst du?	And where do you live?
Ich wohne in Egham. Das ist eine Stadt in der Nähe von London.	I live in Egham. That is a town near London.
Winchester ist eine Stadt in der Nähe von Southampton.	Winchester is a town near Southampton.
Avington ist ein Dorf in der Nähe von Winchester.	Avington is a village near Winchester.
Winchester finde ich ...	I think Winchester is ...
prima.	great.
nicht schlecht.	not bad.
langweilig.	boring.
Dort ist nichts/viel los.	There's nothing/a lot going on there.

Wörter buchstabieren

Wie schreibt man das?	How do you spell that?

2 Klasse!

Hier lernst du ...

die Zahlen von null bis tausend

Ich habe ein Englischbuch, eine Dose Cola, zwei Kassetten . . .

zu sagen, was du dabei hast

Wie alt bist du?

Ich bin dreizehn Jahre alt.

zu sagen, wie alt du bist und wann du Geburtstag hast

Ach nein! Ich habe mein Englischbuch vergessen!

zu sagen, was du vergessen hast

Die Zahlen von null bis zwölf	
0	null
1	eins
2	zwei
3	drei
4	vier
5	fünf
6	sechs
7	sieben
8	acht
9	neun
10	zehn
11	elf
12	zwölf

1  Welche Zahl ist nicht dabei?

Du hörst elf Zahlen zwischen eins und zwölf. Welche Zahl ist nicht dabei?
Beispiel
Spiel A – 8

2 Chinesische Zahlen von eins bis zehn

Sieh dir die chinesischen Zahlen an. Mit einem Partner oder einer Partnerin entscheidet: Welche Zahl ist die Eins? Und die Zwei?
Beispiel

A D ist die Eins.

B Nein, H ist die Eins.

A Nein, H ist die Zehn.

五 一 八 十 四 二 六 七 三 九
A B C D E F G H I J

Achtung!
Aussprache
eins
zwei
drei
vier

3 Noch etwas!

Jetzt schreib die Zahlen auf Chinesisch und Deutsch auf.
Beispiel

 = eins

4 📼 Welche Zahl oder Zahlen hörst du?

Hör gut zu. Welche Zahl oder Zahlen hörst du?
Schreib sie auf.
Beispiel
a 30

5 Die Radio NRG Hitparade

Sieh dir die Hitparade von letzter Woche an.

Die Zahlen über dreizehn	
13	dreizehn
14	vierzehn
15	fünfzehn
16	sechzehn
17	siebzehn
18	achtzehn
19	neunzehn
20	zwanzig
21	einundzwanzig
22	zweiundzwanzig
23	dreiundzwanzig
28	achtundzwanzig
29	neunundzwanzig
30	dreißig
40	vierzig
50	fünfzig
60	sechzig
70	siebzig
80	achtzig
90	neunzig
100	hundert
1000	tausend
2345	zweitausenddreihundert-fünfundvierzig

Letzte Woche

1 DU — Ramona
2 HALLO — November, November
3 MUSIKNATION — Maria Sebastian
4 DER START — Hexenhammer
5 JA — DFG
6 DER VAMPIR — DDR GmbH
7 TANZ MIT MIR — Marc Volkan
8 IN DEINER NÄHE — Zehra Klein
9 GIB MIR DEINE NUMMER (NICHT) — X-Dorf
10 AFRIKA — Rotfunk
11 SIEBZEHN — Ungeheuer
12 DU HAST KEINE CHANCE — Yves Mornet
13 EIN MANN UND EINE FRAU — Carmen Sowieso
14 KONTAKT — Ohnmacht
15 REVOLUTION — Projekt Wahnsinn
16 THEORIE UND PRAXIS — Störfall
17 DEBÜT — Die Frank Sinatras
18 PANIK — Clara Schumann
19 AUF WIEDERSEHEN — Madrid
20 SONG FÜR KATHARINA — Rausch

6 Quiz

Ein/e Partner/in macht das Buch zu. Macht ein Quiz.
Beispiel

A Auf welchem Platz ist KONTAKT von Ohnmacht?

B Vierzehn.

A Richtig.

7 📼 Und diese Woche?

Jetzt hörst du die Hitparade von dieser Woche.
Auf welchem Platz stehen diese Songs?

Gib mir deine Nummer (nicht)
Der Start
Du
Musiknation
Song für Katharina
Beispiel
Gib mir deine Nummer (nicht) – Platz 15

Lerntipp

Wie alt	bist du?	
	ist er?	
	ist sie?	
Ich bin	sechzehn	(Jahre alt).
Du bist		
Er ist		
Sie ist		

1 ▭ Wie alt bist du?

Wie alt ist jede Person? Sieh dir die Fotos an und hör zu.

Ich heiße Steffi. Ich bin sechzehn Jahre alt.

Ich heiße Emine. Ich bin vierzehn Jahre alt.

Ich heiße Jessica. Ich bin einundzwanzig Jahre alt.

Ich heiße Daniel. Ich bin acht Jahre alt.

2 ▭ Und wann hast du Geburtstag?

Sieh dir die Texte und die Fotos an und hör gut zu.
Wie alt sind sie und wann haben sie Geburtstag?

Ich bin vierzehn. Ich habe am ersten August Geburtstag.

Sandy

Ich bin sechzehn. Ich habe am zweiten Mai Geburtstag.

Evelyn

Ich bin auch sechzehn Jahre alt. Ich habe am dritten September Geburtstag.

Stefan

Ich bin fünfundzwanzig Jahre alt. Ich habe am sechzehnten November Geburtstag.

Natascha

Ich bin dreizehn Jahre alt und ich habe am dreiundzwanzigsten Juli Geburtstag.

Marcel

Ich bin zehn. Ich habe am siebten März Geburtstag.

Gregor

3 Noch etwas!

Ein/e Partner/in macht das Buch zu und der/die andere stellt Fragen.
Beispiel

A Wie alt ist Sandy?

A Wann hat Marcel Geburtstag?

B Sandy ist vierzehn.

B Marcel hat am dreiundzwanzigsten Juli Geburtstag.

Achtung!
Das Datum
geschrieben:
den 22. November
gesprochen:
den zweiundzwanzigsten November

Lerntipp

Wann hast du Geburtstag?

Ich habe	am			Geburtstag.
		ersten	Januar	
		zweiten	Februar	
		dritten	März	
		vierten	April	
		fünften	Mai	
		sechsten	Juni	
		siebten	Juli	
		achten	August	
		neunten	September	
		zehnten	Oktober	
			November	
			Dezember	
		neunzehnten		
		zwanzigsten		
		einundzwanzigsten		

4 ▭ Interviews für die Partnerschule

Die Klasse 9A macht Interviews für ihre Partnerschule. Hör gut zu.
Was passt zusammen? Mach Notizen.
Beispiel
1 Anna – aus Stuttgart …

aus Graz in Österreich	aus Stuttgart	Anna	vierzehn	Sezen	vierzehn	Anja

Stefan	dreizehn Jahre alt	am ersten März	aus Berlin	vierzehn

am fünfundzwanzigsten Dezember	am neunundzwanzigsten Juni	aus Dresden	am elften Januar

5 Noch etwas!

Lies deine Notizen. Dann schreib ein Interview mit Anna, Anja, Sezen
oder Stefan.
Beispiel

A Hallo! Wie heißt du? **B** Ich heiße Anna.

A Und woher kommst du? **B** Ich komme aus …

6 Jetzt bist du dran!

Mach jetzt ein Interview mit einem Partner oder einer Partnerin.
Nimm es auf Kassette auf.

1 Schulsachen?

Sieh dir die Schulsachen an und mach ein Quiz.
Ein/e Partner/in macht das Buch zu. Der/die andere stellt Fragen.
Beispiel

A Eine Kassette: Liste eins, zwei oder drei?   **B** Liste zwei.

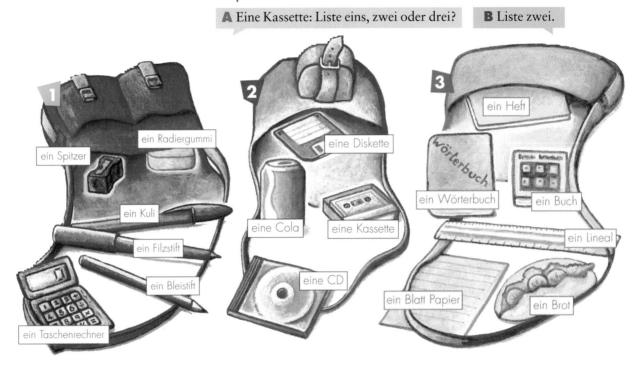

2 Wie viele sind richtig?

Die Klasse 9A hat einen Vokabeltest. Lies ihre Antworten.
Kannst du die sechs richtigen Antworten aufschreiben? Denke logisch!
Tipp: Beginn mit Annas Liste. Alle sind falsch!

DOMINIK	ANNA	SEZEN	SEBASTIAN	ANJA
1. ein Lineal	1. eine Kassette	1. ein Taschenrechner	1. ein Taschenrechner	1. ein Lineal
2. ein Spitzer	2. ein Radiergummi	2. ein Spitzer	2. ein Spitzer	2. ein Spitzer
3. ein Radiergummi	3. ein Kuli	3. ein Kuli	3. ein Kuli	3. ein Radiergummi
4. ein Mathebuch	4. ein Mathebuch	4. ein Mathebuch	4. ein Mathebuch	4. ein Wörterbuch
5. ein Etui	5. ein Etui	5. ein Etui	5. ein Bleistift	5. ein Etui
6. ein Blatt Papier	6. ein Blatt Papier	6. ein Blatt Papier	6. ein Heft	6. ein Blatt Papier
zwei richtig ✔	alle sechs falsch ✗!	zwei richtig ✔	vier richtig ✔	drei richtig ✔

Beispiel

3 Checklisten für den Schulbeginn

Anna und Anja haben Checklisten für den Schulbeginn gemacht.
Sie passen nicht perfekt zusammen. Aber dieselben Schulsachen sind
darauf. Kannst du Annas Checkliste perfekt aufschreiben?

4 🔲 Sezen hat Geburtstag

Sezen ist ein Snoopy-Fan und hat Geburtstag. Sie bekommt Geschenke
von ihren Freunden. Hör zu und schreib die Geschenke auf.
Beispiel
Anja

Ein Snoopy-Radiergummi und …

Lerntipp

Das ist …	**Maskulinum**	**Femininum**	**Neutrum**
	ein	eine	ein
	mein	meine	mein
	dein	deine	dein

5 🔲 Das war nicht meine Schuld

Sieh dir die Bildergeschichte an und hör gut zu.

1 📼 Was hast du in deiner Schultasche? Klaro-Umfrage

Sieh dir den Artikel an und hör gut zu.

Ja ... Ich habe mein Englischbuch, mein Mathebuch, drei Hefte, zwei Kulis, zwei Spitzer, eine Dose Cola, meine Brote und ... ein Foto von meiner Katze. Und zwanzig Mark.
Jana Dommel

OK ... Ich habe mein Englischheft, mein Deutschheft, mein Matheheft, mein Englischbuch, meine Brote, einen Schokoriegel, eine Dose Cola, zwanzig Mark, zwei Kulis, drei Bleistifte, einen Radiergummi und eine Bravo.
Meike di Francesca

Also ... zwei CDs von HEXENHAMMER, eine CD von OHNMACHT, zwei Hefte, vier Kulis, zwei Bleistifte, ein Mathebuch, ein Englischbuch, eine Dose Limo, meine Brote, eine Postkarte aus Österreich und dreißig Mark.
Karin Schmidt

Ich habe drei Hefte, drei Schulbücher, meine Brote, eine Dose Cola, einen Jogurt, einen Schokoriegel. ‚Ben liebt Anna' von Peter Härtling, eine CD von den Beatles, drei Kassetten, fünfzig Mark, eine Postkarte aus Irland, ein Foto von meiner Familie, eine Bravo, ein Foto von meinem Freund, ein Lineal, einen Taschenrechner, mein Adressbuch. Und ‚Der kleine Hobbit' von JRR Tolkien.
Sasskia Voß

Ich habe drei Hefte, drei Bücher, einen Kuli, vier Bleistifte, ein Lineal, meine Brote, einen Jogurt, eine Dose Cola, dreiundzwanzig Mark, ein Foto von einem Tiger und Kaugummi.
Robert Schröder

Lerntipp

	Maskulinum	Femininum	Neutrum	Plural
Das ist/sind ...	ein	eine	ein	zwei
	mein	meine	mein	meine
Ich habe ...	einen	eine	ein	zwei
	meinen	meine	mein	meine

2 📼 Frau Gansmann, ich habe ein Problem …

Was hat jede Person vergessen? Hör gut zu und sieh dir die Bilder an.
Beispiel
1 Christian – c

Lerntipp

Plural

Ich habe	meine	Bleistifte.
Das sind	deine	Kassetten.
	keine	Bücher.

3 Im Schulbus

Hier ist die Klasse 9A im Schulbus. Sieh dir die Texte an.
Was passt zusammen? Schreib die Paare auf.
Beispiel

> O nein! Ich habe keine Bücher dabei.

passt zu

> Ich habe alle meine Bücher vergessen.

♟ Du hast die Wahl

1 Personalausweis

Kannst du deinen eigenen Personalausweis schreiben?
Beispiel

Alter: 14 J.
Geburtstag: 23. Juli
Geburtsort: Landeck, Österreich
Wohnort: Frankfurt am Main, Deutschland
Adresse: Leipziger Straße 25, 60487 Frankfurt a.M.
Telefonnummer: 784608
Schule: Wilhelm-Busch-Schule, Frankfurt a.M.
Freunde: Alex, Arif, Matthias, Gzemal
Freundinnen: Zehra, Sherife, Barbara, Dominique, Kirsten, Meike

Name: Lamberti
Vorname: Nina
Unterschrift:
Nina Lamberti

2 Ninas Gedicht

Kannst du so ein Gedicht schreiben?

Ich heiße Nina.
Ich bin vierzehn.
Ich komme aus Landeck.
Ich habe am 23. Juli Geburtstag.

3 🔲 Klassenkampf

Hör mal der zweiten Episode der Serie zu: ‚Ein Dieb in der Klasse'.

4 🔲 Aussprache

Hör gut zu und sprich die Wörter nach.

Danke schön	Wörter
Wörterbuch	Hör zu
Hört zu	zwölf
am zwölften	Österreich
öde	Gröningen
	zwölf Dörfer in Österreich

5 🔲 Bist du gut in Mathe?

Sind Danielas Kalkulationen richtig oder falsch? Hör gut zu.

6 🔲 Basketballmeisterschaft

Du hörst die Ergebnisse der ersten Runde der Nationalen Basketballmeisterschaft. Trag die Tabelle in dein Deutschheft ein und schreib die Ergebnisse auf.

	ERSTE RUNDE
SCHLESWIG-HOLSTEIN	
HAMBURG	
MECKLENBURG-VORPOMMERN	
BREMEN	
NIEDERSACHSEN	
BERLIN	
SACHSEN-ANHALT	
SACHSEN.	
NORDRHEIN-WESTFALEN	
THÜRINGEN.	
SAARLAND.	
HESSEN	
RHEINLAND-PFALZ	
BADEN-WÜRTTEMBERG.	
BRANDENBURG.	
BAYERN	

Zusammenfassung

Grammatik

Singular und Plural		
Ich habe	einen Spitzer eine Kassette ein Buch	zwei Spitzer drei Kassetten keine Bücher

‚Das ist' und ‚Ich habe'

	Maskulinum	Femininum	Neutrum	Plural
Das ist/sind …	ein kein mein dein	eine keine meine deine	ein kein mein dein	zwei keine meine deine
Ich habe …	einen keinen meinen deinen	eine keine meine deine	ein kein mein dein	zwei keine meine deine

Jetzt kannst du …

von eins bis tausend zählen

eins, zwei, drei	one, two, three
neunhundertneunundneunzig, tausend	nine hundred and ninety nine, a thousand

sagen, wie alt du bist

Wie alt bist du?	How old are you?
Ich bin vierzehn Jahre alt.	I'm fourteen years old.
Wie alt ist er?	How old is he?
Er ist neunzehn Jahre alt.	He's nineteen years old.
Wie alt ist Natascha?	How old is Natascha?
Sie ist auch neunzehn.	She's nineteen too.

sagen, wann du Geburtstag hast

Wann hast du Geburtstag?	When is your birthday?
Ich habe am neunten Mai Geburtstag.	My birthday is on the ninth of May.
Wann hat Marcel Geburtstag?	When's Marcel's birthday?
Er hat am dritten Juli Geburtstag.	His birthday is on the third of July.

sagen, was du dabei hast

Was hast du in der Schultasche?	What have you got in your schoolbag?
Was hast du dabei?	What have you got with you?
Ich habe eine Kassette, ein Heft und zwei Bücher (dabei).	I've got a cassette, an exercise book and two books (with me).
Sie hat zwei CDs dabei.	She's got two CDs with her.

sagen, was du nicht dabei hast

Ich habe keine Bücher dabei.	I haven't got any books with me.
Ich habe mein Deutschbuch nicht dabei.	I haven't got my German book with me.
Ich habe mein Lineal vergessen.	I've forgotten my ruler.

Lesepause

Das schwarze Brett

Ein Klassenzimmer im Jahr 2056

Anja Reinhold
Hausaufgabe
19. September

‚Macht eure Bücher auf‘, hat der Computer gesagt.

‚Es tut mir Leid‘, habe ich gesagt.
‚Ich habe kein Buch‘, habe ich gesagt.

‚Seite sieben‘, hat der Computer gesagt.

‚Es tut mir Leid‘, habe ich gesagt.
‚Ich habe kein Buch‘, habe ich gesagt.

‚Aufgabe eins‘, hat der Computer gesagt.

‚Es tut mir Leid‘, habe ich gesagt.
‚Ich habe kein Buch‘, habe ich gesagt.

‚Schreibt eins bis zehn auf‘, hat der Computer gesagt.

‚Es tut mir Leid‘, habe ich gesagt.
‚Ich habe kein Buch‘, habe ich gesagt.

‚Füllt die Lücken aus‘, hat der Computer gesagt.

‚Es tut mir Leid‘, habe ich gesagt.
‚Ich habe kein Buch‘, habe ich gesagt.

‚Und jetzt die Hausaufgabe‘, hat der Computer gesagt.

‚Es tut mir Leid‘, habe ich gesagt.
‚Ich habe kein Buch‘, habe ich gesagt.

‚Hast du ein Problem?‘, hat der Computer gesagt.

‚Es tut mir Leid‘, habe ich gesagt.
‚Ich habe kein Buch‘, habe ich gesagt.

‚Warum hast du das nicht gleich gesagt?‘, hat der Computer gesagt.

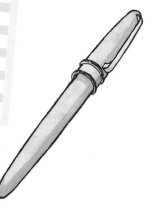

3 Mensch oder Tier?

Hier lernst du ...

über deine Familie zu sprechen

> Meine Mutter hat lockige braune Haare und braune Augen.

Leute zu beschreiben

> Ich habe ein Kaninchen. Es heißt Susi.

über Haustiere zu sprechen

1 🔊 Hast du Geschwister?

Hast du Geschwister? Hast du einen Bruder oder eine Schwester?
Hör gut zu, sieh dir die Sprechblasen unten an und schreib für jede
Person die passenden Buchstaben in dein Heft auf.

Beispiel
1 Katja – e, g

Ich habe ...

Katja
Karl
Johannes
Freddy
Karin
Ayse

a keine Geschwister.
b keinen Bruder.
c keine Schwester.
d einen Bruder.
e zwei Brüder.
f eine Schwester.
g zwei Schwestern.
h eine Stiefschwester.
i zwei Stiefbrüder.

2 🔲 Katja oder Karin?

Wer sagt was? Hör gut zu und schreib ,Katja' oder ,Karin' für die folgenden Sätze.
Beispiel
1 Katja

> **1** Ich wohne bei meinen Eltern.

> **2** Ich wohne bei meinem Vater und meiner Stiefmutter.

> **3** Ich habe einen Großvater und eine Großmutter.

> **4** Ich habe zwei Großväter und eine Großmutter.

> **5** Ich habe einen Bruder und eine Stiefschwester.

> **6** Ich habe zwei Brüder und zwei Schwestern.

3 Und der Rest deiner Familie?

Jetzt beschreiben Freddy, Karl und Johannes ihre Familien.
Lies die Texte. Welches Bild passt zu welcher Familie?

1

Ich wohne bei meinen Eltern und ich habe eine Schwester. Ich habe auch einen Großvater und eine Großmutter.

Johannes

2

Ich wohne bei meiner Mutter. Ich habe zwei Stiefbrüder und eine Schwester und ich habe auch zwei Großmütter.

Freddy

3

Ich wohne bei meinem Vater und meiner Mutter und ich bin Einzelkind. Ich habe auch einen Großvater und eine Großmutter.

Karl

4 Jetzt bist du dran!

Mach Interviews in der Klasse und mach Notizen. Wie viele Personen sind in jeder Familie? Und wer hat die größte Familie?
Beispiel

> **A** Beschreib deine Familie.

> **B** Ja. Ich bin Einzelkind und ich wohne bei meiner Mutter und meinem Stiefvater. Ich habe zwei Großmütter und einen Großvater.

Lerntipp

Ich habe einen Bruder.
Ich haben keinen Bruder.
Ich habe eine Schwester.
Ich habe keine Schwester.

1 📼 Karins Familie

Hör gut zu. Karin beschreibt ihre Familie. Wie heißt jede Person?
Beispiel
 a   Stefan

Heinrich   Stefan   Ulrich   Heidi   Robert   Uli   Eva   Birgit

2 Wer ist denn das?

Kannst du diese Fragen über Karins Familie beantworten?
Beispiel
 1   Karins Stiefmutter

1	2	3	4
Wer ist das? Sie hat kurze lockige braune Haare und braune Augen.	Und das? Sie hat kurze graue Haare und grüne Augen.	Und wer hat eine Glatze und einen Schnurrbart?	Und wer ist das? Er hat kurze rote Haare und grüne Augen und er trägt eine Brille.

3 Jetzt bist du dran!

Beschreib jemanden auf dieser Seite für deinen Partner/deine Partnerin.
Kann er/sie sagen, wie er/sie heißt?
Beispiel

 A Er hat kurze blonde Haare und grüne Augen.   B Er heißt Stefan.

 A Richtig.

4 Gruppenfoto

Katja beschreibt ihre Familie. Lies den Text unten. Wer ist wer?
Beispiel
a Meine Mutter – 4

a Meine Mutter

b Mein Vater

c Gregor und Janosch

d Natascha und Sigrid

e Meine Großmutter

f Mein Großvater Eberhard

Hier ist meine Familie – aber ohne mich!

Meine Mutter heißt Renate und hat blonde Haare und braune Augen und mein Vater hat braune Haare und blaue Augen. Er heißt Karl-Heinz.

Auf dem Foto siehst du auch meine Schwestern Natascha und Sigrid. Natascha hat grüne Augen und rote Haare und Sigrid hat graue Augen und blonde Haare.

Ich habe zwei Brüder, Gregor und Janosch.

Gregor hat blaue Augen und braune Haare. Janosch hat blaue Augen und blonde Haare.

Hier siehst du auch meine Großmutter und meine zwei Großväter. Meine Großmutter Hannelore hat graue

Augen und graue Haare und trägt eine Brille.

Mein Großvater Dieter hat eine Glatze, braune Augen und trägt eine Brille. Mein anderer Großvater, Eberhard, hat graue Haare und blaue Augen.

Lerntipp

Wie heißt dein Vater?
Mein Vater heißt Sid.

Wie heißt deine Mutter?
Meine Mutter heißt Paula.

Wie heißen deine Schwestern?
Meine Schwestern heißen Diane und Becky.

5 Noch etwas!

Jetzt beantworte folgende Fragen für Katja.
Beispiel
1 Meine Großmutter heißt Hannelore.

1 Wie heißt deine Großmutter?
2 Wie heißen deine Schwestern?
3 Wie heißen deine Brüder?
4 Wie heißt dein Vater?
5 Wie heißt deine Mutter?
6 Wie heißen deine Großväter?

6 Johannes' Stammbaum

Sieh dir Johannes' Stammbaum und die Bilder von seiner Familie an. Er beschreibt seine Familie – was schreibt er?
Beispiel
1 Hier ist meine Mutter. Sie heißt Christa. Sie hat …

Meine Mutter, Christa

Mein Vater, Heinz

Meine Schwester, Dagmar

Mein Großvater, Herbert

Meine Großmutter, Antje

1 Wer hat was für ein Tier?

Wer hat welches Haustier – und wer hat kein Haustier?
Sieh dir die Bilder an, rate und wähl eine Sprechblase für jede Person.
Beispiel

1 d

a
Ich habe kein Haustier, aber ich möchte eine Katze haben.

b
Ich habe einen Wellensittich.

c
Ich habe eine Maus.

d
Ich habe einen Hund.

e
Ich habe einen Goldfisch.

f
Ich habe ein Meerschweinchen.

g
Ich habe ein Pferd.

h
Ich habe ein Kaninchen.

i
Ich habe eine Katze.

j
Ich habe einen Hamster.

2 Hast du recht?

Jetzt lies die Texte. Die Tiere beschreiben nun ihre Besitzer/innen.
Wer bleibt übrig und hat also kein Haustier?
Beispiel

a 4

a
Er hat graue Augen und eine Glatze.

b
Er hat braune Augen und rote Haare.

c
Sie hat braune Augen und braune Haare.

d
Sie hat schwarze Augen und braune Haare.

e
Er hat graue Augen und graue Haare.

f
Er hat braune Augen und braune Haare.

g
Er hat grüne Augen und blonde Haare.

h
Sie hat blaue Augen und blaue Haare.

i
Sie hat blaue Augen und schwarze Haare.

3 🔲 In der Tierklinik

Sieh dir das Bild an. Heute kommen viele neue Tierbesitzer – aber wer
bringt welches Tier mit? Hör gut zu und schreib den richtigen
Buchstaben neben jeden Namen.
Beispiel
1   Bettina Klein – b

1   Bettina Klein
2   Monika Zimmer
3   Norbert Sauer
4   Benjamin Donneweg
5   Angela Praß
6   Katharina Schröder
7   Sabine Lange
8   Jessica Ottofülling

4 Tiergeschäft

Wähl dir einige Haustiere aus. Dann befrag deine Mitschüler/innen –
findest du jemanden mit derselben Auswahl wie du?

Beispiel

A Was für Haustiere hast du?

B Ich habe zwei Katzen
und einen Wellensittich.

Achtung!
Singular oder Plural? So findest du
die Wörter in einem Wörterbuch
oder Glossar:
Maus (¨e) (f) – mouse
Also ...
im Singular: (die/eine) Maus
im Plural: (die/zwei) Mäuse

Lerntipp			
Subjekt	**Subjekt**	**Subjekt**	**Subjekt**
Das ist (k)ein Hund.	Das ist (k)eine Katze.	Das ist (k)ein Pferd.	Das sind zwei/keine Pferde.
Objekt	**Objekt**	**Objekt**	**Objekt**
Ich habe (k)einen Hund.	Ich habe (k)eine Katze.	Ich habe (k)ein Pferd.	Ich habe zwei Pferde. Ich habe keine Pferde.

1 🔊 Wie heißen die Haustiere?

Hör gut zu. Diese Jugendlichen stellen ihre Haustiere vor. Wie heißen sie?
Beispiel
a Fiepsi und Susi

(Bommel) (Fiepsi und Susi) (Ikarus) (Jerry) (Bello) (Futzi) (Sissi und Stupsi)

2 Noch etwas!

Die Jugendlichen haben Sätze über ihre Haustiere geschrieben …
aber leider hat Bello sie zerrissen! Kannst du die Sätze richtig
zusammenstellen?
Beispiel

Das ist mein Hund.   Er heißt Bello.

Das sind meine Katzen.   Er heißt Bello.

Das ist meine Maus.   Sie heißen Fiepsi und Susi.

Das ist mein Hund.   Er heißt Ikarus.

Das ist mein Hamster.   Sie heißen Sissi und Stupsi.

Hier ist mein Meerschweinchen.   Er heißt Futzi.

Hier sind meine Kaninchen.   Sie heißt Jerry.

Das ist mein Wellensittich.   Es heißt Bommel.

Lerntipp

Maskulinum	Femininum	Neutrum	Plural
Wie heißt dein Hund?	Wie heißt deine Maus?	Wie heißt dein Pferd?	Wie heißen deine Katzen?
Mein Hund heißt Hasso.	Meine Maus heißt Jerry.	Mein Pferd heißt Beauty.	Meine Katzen heißen Tom und Stupsi.
Hier ist mein Hund.	Hier ist meine Maus.	Hier ist mein Pferd.	Hier sind meine Katzen.

3 Eurohaustierquiz!

Wie viel Prozent der Menschen in Deutschland haben welches Haustier?
Versuch die zehn beliebtesten zu ordnen. Dann lies den Text.
Hast du recht?

Beispiel

1 30% haben einen Hund.

2 25% haben …

Die zwei häufigsten Tiere sind der Hund und die Katze – 26,9% der Menschen besitzen einen Hund und die Katze kommt knapp dahinter – 21,5% haben eine Katze. An dritter Stelle steht der Goldfisch – aber es gibt weniger als halb so viele Goldfische wie Katzen – nur 9,1% haben einen Goldfisch. An vierter und fünfter Stelle stehen das Kaninchen und der Wellensittich mit 4,5 beziehungsweise 4,2%. Die anderen Haustiere kommen relativ selten vor. An sechster Stelle finden wir tropische Fische (nur 2,9%). Danach kommt der Hamster – nur 2,3% haben einen Hamster. Relativ unbeliebt sind das Meerschweinchen (1,5%) und der Kanarienvogel (1,2%). An letzter Stelle stehen die Pferde. Nur 0,9% besitzen Pferde.

Wie viele Menschen haben …

1	Hunde?	a 26,9%	b 4,2%	c 21,5%
2	Goldfische?	a 50%	b 9,1%	c 90,9%
3	Kaninchen?	a 4,5%	b 4,2%	c 1,2%
4	Kanarienvögel?	a 1,5%	b 1,2%	c 2,3%
5	Katzen?	a 26,9%	b 50%	c 21,5%

Du hast die Wahl

1 Traumfamilie!

Welche Personen würdest du in deiner Traumfamilie gerne haben? Beschreib sie und stell sie dann deinen Mitschüler/innen vor.

Beispiel

Hier ist meine Mutter. Sie heißt …

2 Fantasiefamilie

Zeichne den Stammbaum deiner Fantasiefamilie.

Beispiel

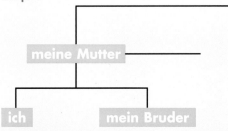

3 Klassenkampf

Hör mal der dritten Episode der Serie zu: ‚O Gott. Mein Vater!'

4 Aussprache

Hör gut zu und sprich die Wörter nach:

rechteckig, Gesichtsform, Kaninchen, Meerschweinchen, Wellensittich, Wellensittiche, Nichte, Wassermolch, Frettchen, Grüß dich, scheußlich, furchtbar, schrecklich, nicht gut, nicht schlecht, ich mag sie nicht!

5 Ein Elefant und eine Maus

Hör gut zu und wiederhol.

Ein Elefant und eine Maus,
Die bauen sich ein kleines Haus,
Ein kleines Haus aus Sand am Strand.

6 Tierklinik

Sieh dir die Bilder an. Welche Haustiere hörst du hier – und welche hörst du nicht?

Beispiel

Ja   Nein
a

Zusammenfassung

Grammatik

Unbestimmter Artikel/kein im Akkusativ

	Maskulinum	Femininum	Neutrum	Plural
Subjekt	Das ist (k)ein Hund.	Das ist (k)eine Katze.	Das ist (k)ein Pferd.	Das sind zwei/keine Pferde.
Objekt	Ich habe (k)einen Hund.	Ich habe (k)eine Katze.	Ich habe kein Pferd.	Ich habe zwei/keine Pferde.

Mein/e dein/e (im Nominativ)

Maskulinum	Femininum	Neutrum	Plural
Wie heißt dein Hund? Mein Hund heißt Hasso.	Wie heißt deine Maus? Meine Maus heißt Jerry.	Wie heißt dein Pferd? Mein Pferd heißt Beauty.	Wie heißen deine Katzen? Meine Katzen heißen Tom und Stupsi.
Hier ist mein Hund.	Hier ist meine Maus.	Hier ist mein Pferd.	Hier sind meine Katzen.

Jetzt kannst du …

über deine Familie sprechen

Hast du Geschwister? — Do you have any brothers or sisters?

Ich habe …
  einen (Stief)bruder/ — a (step)brother/
  zwei (Stief)brüder. — two (step)brothers.
  eine Schwester. — a sister.
  einen Großvater. — a grandfather.
  zwei Großmütter. — two grandmothers.
  keine Geschwister. — no brothers or sisters.
Ich bin Einzelkind. — I am an only child.
Ich wohne … — I live …
  bei meinen Eltern. — with my parents.
  bei meiner Mutter. — with my mother.

Leute beschreiben

Kannst du deine Familie beschreiben? — Can you describe your family?
Sie hat … — She has …
  blaue Augen. — blue eyes.
  blonde/lockige Haare. — blonde/curly hair.
Er hat … — He has …
  einen Schnurrbart. — a moustache.
  einen Bart. — a beard.
Er hat eine Glatze. — He is bald.
Er trägt eine Brille. — He wears glasses.
Wie heißen deine Brüder? — What are your brothers called?

Meine Brüder heißen Bill und Tim. — My brothers are called Bill and Tim.

über Haustiere sprechen

Hast du ein Haustier? — Do you have a pet?
Was für ein Haustier hast du? — What kind of a pet do you have?
Ich habe … — I have …
  keine Haustiere. — no pets.
  einen Hund. — a dog.
  zwei Katzen. — two cats.
  ein Kaninchen. — a rabbit.
Drei Kinder/dreißig Prozent besitzen … — Three children/thirty percent own …

4 Zu Hause

Hier lernst du ...

In was für einem Haus wohnst du?

Ich wohne in einem Doppelhaus.

Und wie viele Zimmer hat dein Haus?

Mein Haus hat zehn Zimmer.

In meinem Zimmer sind ein Bett und ein Stuhl ...

zu sagen, in was für einem Haus du wohnst

dein Haus oder deine Wohnung zu beschreiben

dein Zimmer zu beschreiben

1 ▭ Traumzimmerpreis!

RTL

17.00 Ein eigenes Zimmer

Spielshow mit Hans Koch.
Bei Hans Koch (Foto r.) treten 7 Kandidaten in drei Spielrunden an. Diese Woche zu gewinnen: eine komplette Zimmerausstattung!
45 Minuten.

Anke	André	Klaus
Elke	Eberhard	Antje
	Uwe	

Die erste Runde: Wer wohnt wo? Hör gut zu und schreib es auf.
Beispiel
Anke – a

2 Noch etwas!

Wer hat eine Chance zu gewinnen? Sieh dir deine Liste an.
Tipps:
Der Name des Gewinners/der Gewinnerin beginnt mit einem Vokal.
Er/sie wohnt in keinem Bungalow, Reihenhaus oder Bauernhof.
Beispiel
Anke – ja

3 ☐ Die nächste Runde

Vier Personen kommen weiter. Sie beantworten diese Fragen:

> Wie viele Zimmer hat dein Haus?
> Wie viele Zimmer hat deine Wohnung?

> Wie viele Stockwerke hat dein Haus?
> In welchem Stock ist deine Wohnung?

Hör gut zu und lies die Texte. Wer ist wer? Hast du recht?
Beispiel
a Anke

Ich wohne in einem Einfamilienhaus hier in Altkirchen in der Nähe von Rüsselsheim. Das Haus hat zwei Stockwerke.

Ich wohne in einem kleinen Doppelhaus in Hofsdorf nicht weit von Rüsselsheim. Das Haus hat zwei Stockwerke und eine Garage.

Meine Wohnung ist in einem Altbaublock im dritten Stock. Sie ist in Holzheim am Stadtrand von Rüsselsheim.

Ich wohne in einem Doppelhaus in der Nähe von Rüsselsheim. Das Haus hat zwei Stockwerke und einen kleinen Garten.

4 ☐ Noch etwas!

Hör nochmal zu. Das Haus/die Wohnung des Gewinners/ der Gewinnerin hat mehr als fünf Zimmer. Wer hat immer noch eine Chance zu gewinnen?
Beispiel
Anke – ja

5 Quiz – wer ist das?

Lies die Sätze unten. Wer ist das?
Beispiel
1 Antje

1 Ihr Haus hat sieben Zimmer.

2 Sein Haus hat vier Zimmer.

3 Ihr Haus hat neun Zimmer.

4 Seine Wohnung ist im dritten Stock.

Lerntipp

Sein(e)/ihr(e)/sein(e) (im Nominativ)

	Maskulinum	**Femininum**	**Neutrum**
Maskulinum	sein Bungalow	ihr Bungalow	sein Bungalow
Femininum	sein**e** Wohnung	ihr**e** Wohnung	sein**e** Wohnung
Neutrum	sein Haus	ihr Haus	sein Haus

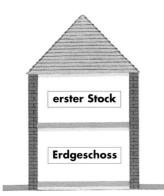

erster Stock

Erdgeschoss

1 ▭ Und der Gewinner/ die Gewinnerin ist … ?

Die zwei Finalisten/tinnen beschreiben ihre Häuser. Hör gut zu. Welches Haus ist das? Hast du die Namen der Finalisten/tinnen richtig erraten?

Beispiel

Anke? Oder … ?

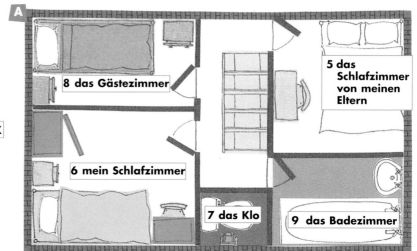

ERSTER STOCK

8 das Gästezimmer

6 mein Schlafzimmer

7 das Klo

5 das Schlafzimmer von meinen Eltern

9 das Badezimmer

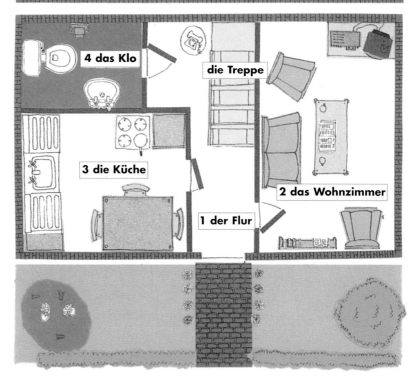

ERDGESCHOSS

4 das Klo

die Treppe

3 die Küche

2 das Wohnzimmer

1 der Flur

Lerntipp

Bestimmter Artikel im Nominativ

Maskulinum	Femininum	Neutrum
der Flur	**die** Küche	**das** Esszimmer

2 ▭ Noch etwas!

Hör nochmal zu.

In welcher Reihenfolge hörst du die Zimmer?

Beispiel

Haus A   Haus B

2 …

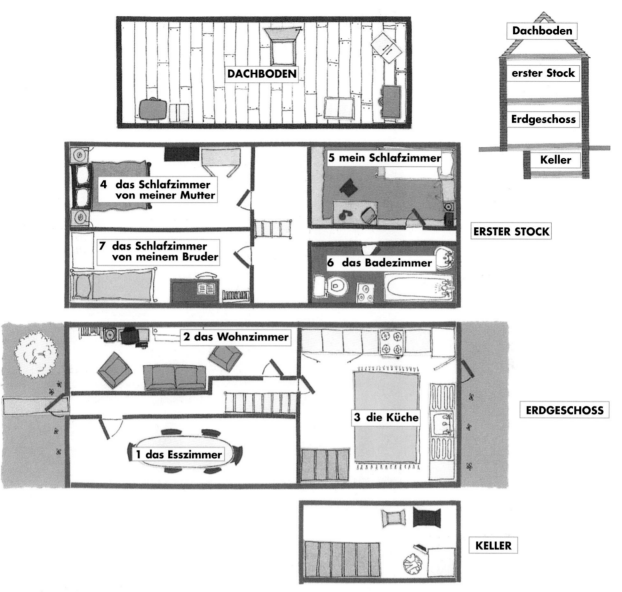

3 Und wer gewinnt ... ?

Von welchem Haus gibt es mehr Beschreibungen? Das ist das Haus der Gewinnerin – wie heißt sie?

1 Das Haus ist ein Einfamilienhaus. Im Erdgeschoss sind der Flur und ein Klo. Im zweiten Stock sind drei Schlafzimmer und ein Klo. Das Haus hat neun Zimmer.

2 Das Haus hat sieben Zimmer und auch einen Keller und einen Dachboden. Das Esszimmer ist im Erdgeschoss. Im ersten Stock sind drei Schlafzimmer.

3 Dieses Haus hat das Wohnzimmer und das Esszimmer im Erdgeschoss. Im ersten Stock sind drei Schlafzimmer.

4 Das Haus hat einen kleinen Garten und das Esszimmer ist im Erdgeschoss. Im ersten Stock sind drei Schlafzimmer und das Badezimmer.

4 Welches Haus ist das?

Beschreib eines der beiden Häuser für deinen Partner/deine Partnerin.
Kann er/sie raten, welches Haus du beschreibst? Dann tauscht die Rollen.
Beispiel

A Das Haus hat zwei Stockwerke ...

1 📼 Das Haus der Gewinnerin

Hier beschreibt die Gewinnerin Zimmer in ihrem Haus.
Hör gut zu und ordne sie.
Beispiel
1 die Küche

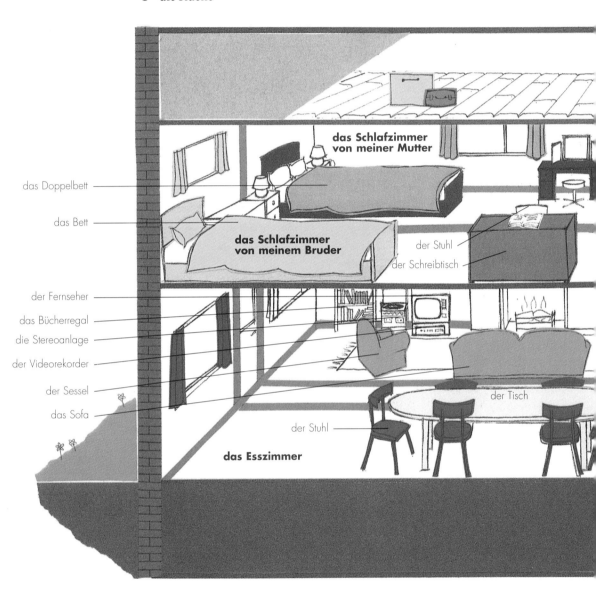

das Doppelbett

das Bett

das Schlafzimmer von meiner Mutter

das Schlafzimmer von meinem Bruder

der Stuhl

der Schreibtisch

der Fernseher

das Bücherregal

die Stereoanlage

der Videorekorder

der Sessel

das Sofa

der Tisch

der Stuhl

das Esszimmer

2 📼 Noch etwas!

Welche Fehler macht Antje? Kannst du sie verbessern? Hör nochmal zu
und bilde Sätze.
Beispiel
Der Tisch ist in der Küche. ▶ Der Tisch ist im Esszimmer.

Der Fernseher ist	im Esszimmer.
Die Küche ist	im Schlafzimmer von meiner Mutter.
Der Tisch ist	im Erdgeschoss.
Das Doppelbett ist	im Wohnzimmer.
Das Sofa ist	im Schlafzimmer von meinem Bruder.

Achtung!
Die Pluralformen
Das Haus Pluralform: (¨er) ▶ Die Häuser
Der Tisch Pluralform: (-e) ▶ Die Tische

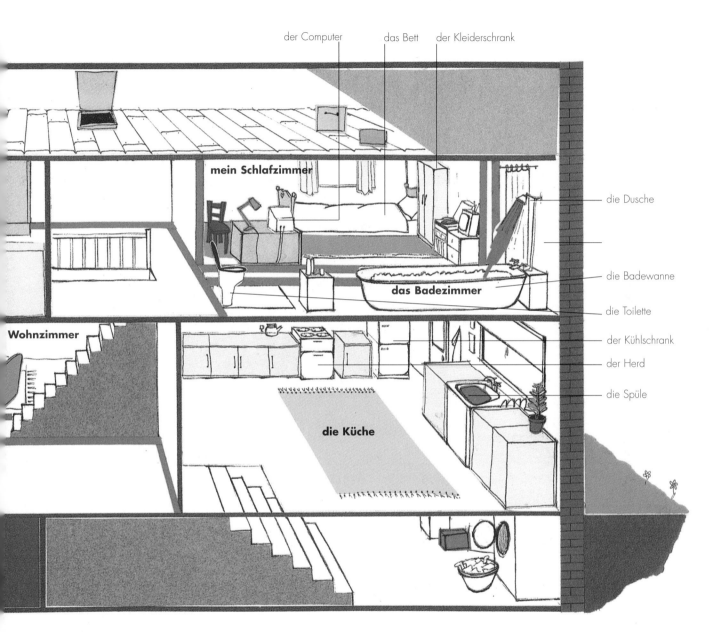

der Computer   das Bett   der Kleiderschrank

mein Schlafzimmer

die Dusche

das Badezimmer

die Badewanne

die Toilette

Wohnzimmer

der Kühlschrank

der Herd

die Spüle

die Küche

3 Die Zimmer

Jetzt beschreib zwei Zimmer schriftlich.
Beispiel
Im Badezimmer sind die Badewanne und die Dusche.
Dort sind auch die Toilette und das Waschbecken.

4 Gedächtnisspiel

Mach das Buch zu. Dann beschreib ein Zimmer im
Haus für deinen Partner/deine Partnerin. Wenn du
einen Fehler machst oder etwas vergisst, tauscht die
Rollen.
Beispiel

A In der Küche sind der Herd und der Tisch …

B FALSCH! Jetzt bin ich dran. Im Badezimmer sind …

1 ▭ Mein Zimmer, wie es jetzt ist

Jetzt beschreibt die Gewinnerin ihr Zimmer, wie es jetzt ist.
Hör gut zu und sieh dir das Bild an. Welche Farben haben die Sachen im
Zimmer? Schreib es auf.
Beispiel
das Bett – braun

| beige | schwarz | weiß | blau | grün | rot | orange | gelb | braun |

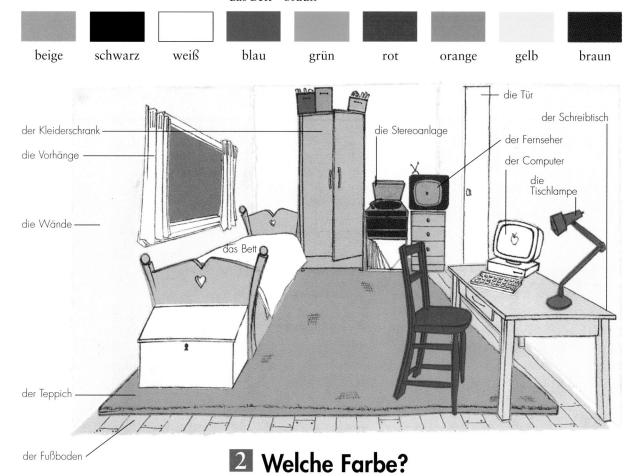

2 Welche Farbe?

Hier beschreibt sie ihr Zimmer schriftlich. Lies die Beschreibung, sieh dir
deine Notizen und das Bild an und füll die Lücken mit den Farben aus.
Beispiel
Mein Bett ist braun …

Mein Bett ist _____ und die Bettdecke ist _____. Der Stuhl ist _____
und der Schreibtisch ist _____ mit einer Tischlampe darauf. Die
Tischlampe ist _____ (furchtbar!).
Meine Stereoanlage und mein Fernseher sind beide _____.
Mein Computer ist _____ und er ist kaputt (vielen Dank, Bruder!).
Der Kleiderschrank ist _____ und die Vorhänge sind _____.
Der Fußboden ist _____ und der Teppich darauf ist _____.
Die Wände sind _____ und die Tür ist _____.

3 Was ist jetzt anders?

Vergleiche dein ausgefülltes Arbeitsblatt mit dem Bild oben
und schreib Sätze.
Beispiel
Das Bett ist jetzt rosa.

4 Traumzimmer aus dem Jahr 2198!

Hier ist ein Zimmer für das 22ste Jahrhundert. Sieh dir das Zimmer zwei
Minuten lang an, dann mach das Buch zu und beschreib das Zimmer
deinem Partner/deiner Partnerin. Wer von euch kann die meisten
Möbelstücke beschreiben?
Beispiel

A Im Zimmer sind ein Bett, ein Stuhl …

5 Noch etwas!

Jetzt beschreib das Zimmer schriftlich!
Beispiel
Das Bett ist blau …

Du hast die Wahl

1 Wortbild

Zeichne ein Wortbild von deinem Haus.
Beispiel

3 Gebäudeplan

Zeichne einen Plan von deinem Traumhaus oder dem Haus deines Idols und beschrifte es.
Beispiel

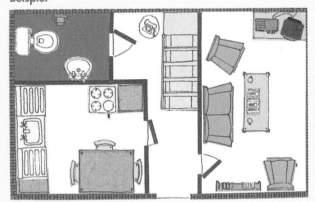

2 Mein Zimmer

Zeichne dein Traumzimmer ODER das Zimmer deines Idols. Beschreib es auch schriftlich. Dann kleb die Beschreibung und die Zeichnung getrennt an die Wand. Welche Beschreibung passt zu welchem Zimmer?
Beispiel
In meinem Zimmer sind …

4 Farbgedicht

Kannst du dein eigenes Farbgedicht schreiben?
Beispiel
Mein Stuhl ist grün.
Mein Tisch ist blau.
Mein Zimmer ist toll.
Und mein Hund ist grau.

5 Klassenkampf

Hör mal der vierten Episode der Serie zu: ‚In der Villa in Italien‘.

6 Aussprache

Hör gut zu und sprich die Wörter nach:
blau, grau, braun, auf, Haus, Traumhaus, Baum, Neubau, Altbau, Bauernhof, draußen, darauf, Paul, Frauke, türkisblau, kaum, Raum, genau, traurig.

7 Werbespot

Ferienhaus! Hör gut zu. Welches Haus beschreibt man hier?

Zusammenfassung

Grammatik

Sein/ihr/sein (im Nominativ)			
	Maskulinum	**Femininum**	**Neutrum**
Maskulinum	sein Bungalow	ihr Bungalow	sein Bungalow
Femininum	sein**e** Wohnung	ihr**e** Wohnung	sein**e** Wohnung
Neutrum	sein Haus	ihr Haus	sein Haus

Bestimmter Artikel im Nominativ		
Maskulinum	**Femininum**	**Neutrum**
der Flur	**die** Küche	**das** Esszimmer

Jetzt kannst du ...

über dein Haus oder deine Wohnung sprechen

In was für einem Haus wohnst du?	What kind of house do you live in?
Wohnst du in einem Haus oder einer Wohnung?	Do you live in a house or a flat?
Ich wohne ...	I live ...
in einem Einfamilienhaus.	in a detached house.
in einem Doppelhaus.	in a semi-detached house.
in einem Reihenhaus.	in a terraced house.
in einem Bungalow.	in a bungalow.
in einer Wohnung.	in a flat.
auf einem Bauernhof.	on a farm.
Wie viele Stockwerke hat dein Haus?	How many floors does your house have?
Mein Haus hat ... Stockwerke.	My house has ... floors.
In welchem Stock ist deine Wohnung?	What floor is your flat on?
Meine Wohnung ist ...	My flat is ...
im zehnten Stock.	on the tenth floor.
im Erdgeschoss.	on the ground floor.
Wie viele Zimmer hat dein Haus?	How many rooms does your house have?
Mein Haus hat ... Zimmer.	My house has ... rooms.

Zimmer beschreiben

In der Küche sind ...	In the kitchen there is ...
ein Herd/ein Tisch/eine Spüle.	an oven/a table/a sink.
Im Wohnzimmer sind ...	In the living room there is ...
ein Sofa/ein Sessel/ein Fernseher.	a sofa/an armchair/a television.
Das Sofa ist ...	The sofa is ...
grau/brau/rosa	grey/brown/pink
violett/türkisblau/beige.	purple/turquoise/beige.

Herrenhaus ,Auf der Heide'

Im Herrenhaus ,Auf der Heide' ist ein Mord im Esszimmer geschehen.
Die Polizei stellt Fragen. Die Leute im Haus beschreiben die Zimmer,
wo sie waren. Wer lügt? Wer ist der Mörder/die Mörderin?

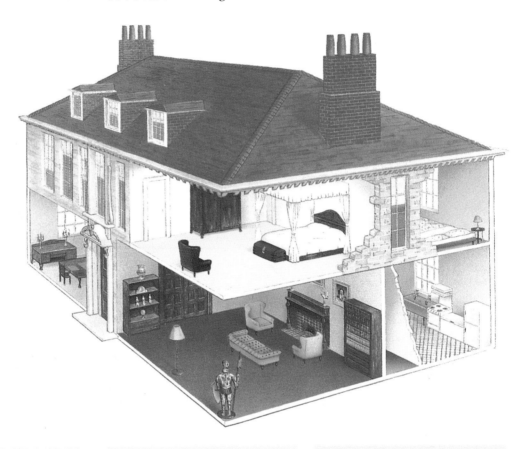

Ich war zusammen mit Oberst Grün in einem Zimmer. Dort waren zwei Sessel (die waren grün) und ein blaues Sofa. Dort gab es auch einen braunen Bücherschrank und ein Regal mit alten Sachen darin an der Wand. Der Teppich war rot, wenn ich mich richtig erinnere.

Kapitän Blau

Kapitän Blau und ich waren in demselben Zimmer. Dort waren zwei grüne Sessel und ein Sofa – das Sofa war blau, soweit ich mich erinnern kann. Im Zimmer war auch ein Bücherschrank mit alten Büchern darin und ein altes Regal. Der Teppich war rot.

Oberst Grün

Zur Zeit des Mordes bezog ich die Betten. Ich war oben im Haus und im Zimmer waren ein Doppelbett und ein Stuhl. Das Doppelbett war braun mit einer weißen Bettdecke darauf. Der Stuhl war schwarz. Auf dem Boden lag ein gelber Teppich und es gab auch einen braunen Kleiderschrank. Die Wände waren weiß.

Katja Gelb (Kammermädchen)

Zur Zeit des Mordes bereitete ich das Abendessen zu. Im Zimmer waren ein Herd, ein Kühlschrank und eine Tiefkühltruhe. Sie waren alle weiß. Es gab auch eine Spüle – sie war blau.

Anton Rot (Koch)

Als der Mord geschah, las ich ein Buch. Im Zimmer waren ein blaues Sofa und zwei grüne Sessel. Es gab auch einen Tisch mit kleinen Sachen darauf und ein altes Regal. Im Zimmer war auch ein Bücherschrank mit vielen alten Büchern darin und auf dem Boden lag ein gelber Teppich.

Helmut Violett (Chauffeur)

Schloss Neuschwanstein

Dieses Schloss kennst du sicherlich schon. Es ist vielleicht sogar eines der berühmtesten Schlösser der Welt. Es heißt Neuschwanstein und wurde 1886 gebaut. Warte mal! 1886? Nicht 1486? Oder vielleicht 1686? Nein, 1886 hat König Ludwig der Verrückte von Bayern das Schloss bauen lassen, als eine moderne Nachbildung des mittelalterlichen ‚Märchenschlosses'.

Im Gegensatz zu mittelalterlichen Schlössern besitzt dieses Schloss jedoch jeglichen modernen Komfort. Es verfügt über fließend heißes und kaltes Wasser, einen automatischen Bratspieß (der vom Rauch und von der Hitze im Schornstein gedreht wird!) und über Musik in allen Zimmern!

Neuschwanstein ist voller Überraschungen. Überall gibt es Gold und Juwelen. Oder ist das in Wirklichkeit gar kein echtes Gold? Ja, das stimmt – es ist in Wirklichkeit Messing und die ‚Juwelen' sind aus Glas. Das Schloss hat Ludwig so viel Geld gekostet, dass kein Geld mehr übrig blieb um das Schloss mit echten Kostbarkeiten zu dekorieren. Ludwig liebte Wagner und überall sind Szenen aus Wagners Opern mit Miniaturen – aus Papiermaché! Überall gibt es Kronleuchter (einer von ihnen wiegt fast eine Tonne) – aber auch diese sind aus Glas und Messing.

Nun aber das Erstaunlichste. Alles im Schloss ist im neuesten Zustand! Die Vorhänge sind in einer Schutzfolie eingepackt – und warum ist das so? Ludwig hat Selbstmord verübt, bevor das Schloss fertig wurde, und deshalb hat bis heute niemand darin gewohnt …

5 Schulalltag

Hier lernst du ...

Wie spät ist es?

Zehn Uhr zwanzig.

die Uhrzeit

die Tage der Woche

Was hast du in der dritten Stunde?

Mathe. Und du?

einen Schultag zu beschreiben

Wie findest du Mathe?

Sehr interessant.

deine Meinung auszudrücken

1 ▭ Wie spät ist es denn?

Du hörst jetzt zehn Dialoge. Hör gut zu und schreib die Uhrzeiten auf.
Beispiel
1 Es ist drei Uhr.

2 Ein Septembertag in Clausthal-Zellerfeld

Hier sind sechs Fotos von Clausthal-Zellerfeld am 25. September.
Wie spät ist es in jedem Foto? Rate mal! Schreib die Uhrzeiten auf.

Achtung!
ein Uhr = one o'clock
eine Uhr = a clock
eine Stunde = an hour ODER
a lesson

Die Uhrzeit

Wie spät ist es?

Wie viel Uhr ist es?

	ein		(zehn).
	zwei	Uhr	(fünfzehn).
	sechzehn		(fünfundvierzig).
	zehn	vor	eins.
Es ist	Viertel	nach	sieben.
	halb neun.		
	Mittag.		
	Mitternacht.		

3 ▭ Halb zehn schon?

Hör gut zu. Welche Uhrzeiten hörst du?
Beispiel
1 halb zehn (oder 9.30 Uhr)

4 Was passt zusammen?

Schreib die Uhrzeiten auf, die zusammenpassen.
Beispiel
halb zwölf — elf Uhr dreißig

halb zwölf	einundzwanzig Uhr fünfzehn
Viertel nach sieben	siebzehn Uhr dreißig
Viertel nach zwölf	zehn Uhr zwanzig
Viertel vor zwölf	acht Uhr fünfundvierzig
zehn nach acht	zweiundzwanzig Uhr fünfundvierzig
zwanzig vor sieben	zwölf Uhr fünfzehn
Viertel vor elf	sechs Uhr dreißig
halb sechs	neunzehn Uhr fünfzehn
Viertel nach neun	elf Uhr fünfundvierzig
Viertel vor neun	achtzehn Uhr vierzig
zwanzig nach zehn	elf Uhr dreißig
halb sieben	zwanzig Uhr zehn

Die Tage der Woche	
Tag	**Abkürzung**
Montag	Mo
Dienstag	Di
Mittwoch	Mi
Donnerstag	Do
Freitag	Fr
Samstag	Sa
Sonntag	So

Achtung!
Sonnabend = Samstag

1 ▭ Welcher Tag ist der beste Schultag?

Hör gut zu. Zehn Schüler und Schülerinnen antworten.
Beispiel
1 Matthias – Donnerstag

2 Ein Quiz

Die Klasse 9A macht ein Quiz. Sieh dir ihre Antworten unten an – sie sind alle Tage der Woche. Aber sie sind nicht alle richtig! Kannst du die richtigen Antworten herausfinden? Denke logisch!
Tipp: Fang mit Martins Antworten an!

Sebastian
1 So
2 Di
3 Sa
4 Fr
5 Mo
    zwei richtig ✔

Sebastians Antworten

Sezen
1 Mittwoch
2 Montag
3 Donnerstag
4 Samstag
5 Sonntag
    zwei richtig ✔

Sezens Antworten

Martin
1 Sonntag
2 Montag
3 Samstag
4 Freitag
5 Donnerstag
    keine richtig X!

Martins Antworten

Anja
1 Mittwoch
2 Montag
3 Sonntag
4 Sonnabend
5 Donnerstag
    drei richtig ✔

Anjas Antworten

3 ▭ Hausaufgabenumfrage

Die Klasse 10A macht eine Umfrage über Hausaufgaben.
Sie schreiben auf, von wann bis wann sie Hausaufgaben machen.
Hier sind die Formulare von Stefan, David und Andreas.
Welches Formular ist von Stefan? Und die anderen? Hör gut zu.

a

Hausaufgabenumfrage		
Mo	von	14.00
	bis	15.30
Di	von	14.00
	bis	15.30
Mi	von	-
	bis	-
Do	von	14.00
	bis	15.50
Fr	von	14.00
	bis	15.45
Sa	von	-
	bis	-
So	von	20.00
	bis	21.55

b

Hausaufgabenumfrage		
Mo	von	14.00
	bis	15.30
Di	von	14.00
	bis	15.00
Mi	von	-
	bis	-
Do	von	14.00
	bis	15.30
Fr	von	14.00
	bis	15.45
Sa	von	-
	bis	-
So	von	17.00
	bis	18.45

c

Hausaufgabenumfrage		
Mo	von	14.00
	bis	15.30
Di	von	14.00
	bis	15.00
Mi	von	-
	bis	-
Do	von	14.00
	bis	15.15
Fr	von	14.00
	bis	15.45
Sa	von	-
	bis	-
So	von	17.00
	bis	18.15

d

Hausaufgabenumfrage		
Mo	von	14.00
	bis	15.30
Di	von	14.00
	bis	15.00
Mi	von	14.00
	bis	16.30
Do	von	-
	bis	-
Fr	von	14.00
	bis	15.15
Sa	von	-
	bis	-
So	von	17.00
	bis	18.15

Beispiel

A Sandra, wann machst du deine Hausaufgaben?

B Von fünf Uhr bis halb sieben.

4 Jetzt bist du dran!

Mach eine Umfrage in der Klasse zum Thema Hausaufgaben.
Dann schreib die Ergebnisse auf.

5 Schulfächer

Lernst du … ?

a Deutsch **b** Englisch **c** Französisch **d** Mathematik

Sprachen

e Biologie **f** Physik **g** Chemie **h** Erdkunde

Naturwissenschaften

i Geschichte **j** Sport **k** Religion **l** Informatik

m Kunst **n** Musik **o** Werken **p** Hauswirtschaft

6 ▭ Eine Minute auf der Straße

‚Eine Minute auf der Straße' macht Interviews in Clausthal-Zellerfeld. Die Frage: Was sind die interessantesten Schulfächer? Schreib die Fächer auf. Benutz die Buchstaben oben.

Beispiel

1 b, a (Englisch, Deutsch)

7 Gedächtnisspiel

Ein Partner/eine Partnerin hat eine Minute Zeit um sich die Buchstaben und die Schulfächer zu merken. Dann macht er/sie das Buch zu. Der andere Partner/die andere Partnerin stellt Fragen.

A Welcher Buchstabe ist Deutsch?

B A.

1 Anjas Stundenplan

Sieh dir den Stundenplan an.

WILHELM-BUSCH-SCHULE KLASSE 9A						
Tag	**Mo**	**Di**	**Mi**	**Do**	**Fr**	**Sa**
Zeit						
8.00 – 8.45	Deutsch	Englisch	Deutsch	Mathe	Mathe	Geschichte
8.50 – 9.35	Englisch	Religion	Biologie	Französisch	Biologie	Religion
9.40 – 10.25	Geschichte	Französisch	Erdkunde	Erdkunde	Englisch	Deutsch
10.25 10.45	PAUSE	PAUSE	PAUSE	PAUSE	PAUSE	PAUSE
10.45 – 11.30	Französisch	Deutsch	Englisch	Musik	Französisch	Sport
11.35 – 12.20	Mathe	Chemie	Kunst	Kunst	Physik	Sport
12.25 – 13.10	Mathe	Chemie		Physik	Musik	

2 Quiz – welcher Tag ist das?

Sechs Schüler und Schülerinnen beschreiben zwei Stunden an einem Schultag. Sieh dir den Stundenplan an. Hör gut zu und schreib den Tag auf.

Beispiel

1 Montag (oder Mo.)

3 Noch etwas!

Dein Partner/deine Partnerin wählt einen Tag. Du stellst Fragen. Kannst du den Tag erraten?

Beispiel

A Hast du in der ersten Stunde Mathe? **B** Nein.

A Hast du in der dritten Stunde Geschichte? **B** Nein.

A Äh … Dienstag? **B** Falsch. Samstag. OK. Du bist dran.

4 Stimmt das?

Was stimmt? Was stimmt nicht? Sieh dir diese Sätze an und korrigiere sie.

Beispiel

1 Das stimmt nicht. Sie hat am Montag nur <u>eine</u> Stunde Englisch.

1 Anja hat am Montag zwei Stunden Englisch.

2 Sie hat Erdkunde am Donnerstag in der dritten Stunde.

3 Sie hat Chemie am Dienstag von 12.25 Uhr bis 13 Uhr.

4 Sie hat Kunst am Mittwoch und am Donnerstag in der sechsten Stunde.

5 Sie hat vier Stunden Französisch pro Woche.

6 Es gibt eine Pause nach der dritten Stunde.

7 Es gibt am Mittwoch keine sechste Stunde.

8 Anja hat dreißig Stunden pro Woche.

Tina

Ich stehe um zwanzig nach sechs auf.
Ich verlasse das Haus um halb acht.
Die erste Stunde beginnt um 8 Uhr und
endet um 8.45 Uhr.
Die Schule ist um 13.10 Uhr aus.
Ich mache meine Schulaufgaben von
zwei Uhr bis halb vier.
Dann habe ich frei!
TINA, 14 JAHRE, LANDECK
(ÖSTERREICH)

5 Mein Alltag

Was haben diese Jugendlichen gemeinsam?
Sieh dir die Texte an und schreib die Gemeinsamkeiten auf.
Beispiel
Ich stehe um zwanzig nach sechs auf. (Tina)
Um zwanzig nach sechs stehe ich auf. (Ika)

Ich stehe um halb sieben auf.
Ich verlasse das Haus um zwanzig nach sieben.
Die erste Stunde beginnt um 7.50 Uhr und endet um 8.35 Uhr.
Die Schule ist um 13 Uhr aus.
Ich mache meine Schulaufgaben von zwei bis vier Uhr.
ALEX, 16 JAHRE, ROSTOCK (DEUTSCHLAND)

Alex

Um halb sieben stehe ich auf.
Um zwanzig nach sieben verlasse ich das Haus.
Die erste Stunde beginnt um 7.55 Uhr und endet um
8.40 Uhr.
Um 13 Uhr ist die Schule aus.
Ich mache meine Schulaufgaben von Viertel nach zwei
bis vier Uhr.
MARTINA, 15 JAHRE, BERN (SCHWEIZ)

Um zwanzig nach sechs stehe ich auf.
Ich verlasse das Haus um zwanzig vor acht.
Die erste Stunde beginnt um 8.10 Uhr und endet um
8.55 Uhr.
Die Schule ist um 13.20 Uhr aus.
Von zwei bis halb vier mache ich meine Schulaufgaben.
IKA, 14 JAHRE, BERLIN (DEUTSCHLAND)

Lerntipp

Alternativen ...
Ich stehe um halb sieben auf.
ODER
Um halb sieben stehe ich auf.

Die Schule ist um 13.20 Uhr aus.
ODER
Um 13.20 Uhr ist die Schule aus.
Achtung! Das Verb steht immer an
zweiter Stelle.

Martina

Ika

6 Carstens Tag

Schreib Carstens Alltag auf.
Beispiel
Um zehn nach sechs stehe ich auf.

1 Was ist dein Lieblingsfach?

Lies den Text. Sind die Bemerkungen positiv oder negativ?
Mach zwei Listen.
Beispiel

Positiv
Ich finde Religion interessant.

Negativ
Der Lehrer ist zu streng.

2 ◎ Martins Umfrage

Martin hat eine Umfrage zum Thema Schulfächer gemacht. Er hat sich
Notizen über sechs Schulfächer gemacht. Er liest seine Notizen vor.
Hör gut zu und mach Notizen. Dann vergleich deine Notizen mit den
vier Balkendiagrammen. Welches Fach passt zu welchem Diagramm?

Beispiel

Englisch
Erdkunde
Kunst
Biologie

Fach	Lieblingsf.	sehr int.	zieml. int.	wirkl. langw.	zu komp.
Bio	4	7			

3 Gabi

Gabis Austauschpartner kommt morgen mit in die Schule.
Sie beschreibt den Tagesablauf.

```
Morgen kommst du mit in die Schule! Eine kurze Beschreibung …
Ich verlasse das Haus normalerweise um zwanzig vor acht. Die Schule beginnt um
zehn vor acht. Morgen ist die erste Stunde Chemie (bis 08.35 Uhr). (Nicht mein
Lieblingsfach …)
Ich habe dann Mathe von 8.40 Uhr bis 9.25 Uhr. Frau Meineke, die Lehrerin, ist
sehr nett, nicht zu streng, und das Fach finde ich wirklich interessant. Echt!
Um 9.30 Uhr habe ich Englisch (bis 10.15 Uhr). Englisch finde ich wirklich toll.
Die Lehrerin ist freundlich, aber oft ein bisschen launisch. Und die Grammatik
ist kompliziert, ich weiß, aber es geht. Englisch gefällt mir trotzdem.
Nach der dritten Stunde gibt es eine Pause von 15 Minuten, also bis 10.25 Uhr.
(Brote nicht vergessen!)
Dann haben wir Religion. Der Lehrer ist wirklich sympathisch, aber das Fach ist
ziemlich langweilig, nein, sogar sehr langweilig …
Die vierte Stunde endet um 11.15 Uhr. Und um 11.25 Uhr habe ich zwei Stunden
Sport (Volleyball). Sport gefällt mir gut. Die Lehrerin ist auch wirklich toll.
(Sportsachen nicht vergessen!)
Die Schule ist um 12.55 Uhr aus. Ich komme direkt nach Hause, esse ein Brot und
mache schnell meine Hausaufgaben.
Dann habe ich frei! Wir gehen ins Eiscafé! (Mit Stefanie, Mirko und Gzemal.)
Viel Spaß
Gabi
```

1 Gabi hat einen Fehler gemacht. Kannst du ihn finden?
2 Gabis Austauschpartner macht Notizen. Schreib sie fertig.

Beispiel

Zeit	Stunde	Kommentar
7.50 – 8.35	Chemie	Nicht Gabis Lieblingsfach

4 Interview

Mach ein Interview mit deinem Partner/deiner Partnerin.
Nimm es auf Kassette auf.

Beispiel

A Wie viele Stunden hast du pro Tag?   **B** Wann beginnt die erste Stunde?   usw.

Du hast die Wahl

1 Hitliste

Schreib eine Hitliste von deinen Schulfächern.
Wähl fünf Fächer.

DIESE WOCHE ...

1 KOMPLIZIERT ABER INTERESSANT Mathematik
2 LEHRER IST NETT Erdkunde
3 LIEBLINGSFACH Englisch
4
5

2 Stimmt das?

Mach ein Quiz für einen Freund/eine Freundin in der Klasse. Schreib über deine Schulfächer. Schreib fünf richtige Sätze und fünf falsche. Kann dein Freund/deine Freundin sagen, was stimmt?
Beispiel

	Das stimmt	Das stimmt nicht
Erdkunde finde ich wirklich interessant.	☐	☐
Mein Lieblingsfach ist Bio.	☐	☐

3 ▭ Klassenkampf

Hör mal der fünften Episode der Serie zu: ‚Gib mir deine Telefonnummer.'

5 ▭ Welche Schulaufgabe ist das?

Sezen, Martin, Anja, Anna, Dominik und Sebastian machen ihre Schulaufgaben. Hör gut zu.
Wer macht was?
Beispiel
Sezen – Englisch

4 ▭ Aussprache

Hör gut zu und sprich die Wörter nach:

zwanzig vor sechs, zehn nach sieben, von eins bis zwei, sechzehn Uhr zwölf,
die zweite Stunde, ziemlich sympathisch,
sehr kompliziert, eine kurze Pause,
zwei Stunden Französisch, nicht zu streng.

Zusammenfassung

Grammatik

Ich stehe um halb sieben auf.
ODER
Um halb sieben stehe ich auf.

Die Schule ist um 13.20 Uhr aus.
ODER
Um 13.20 Uhr ist die Schule aus.

Jetzt kannst du …

die Uhrzeit sagen

Wie spät ist es?	What time is it?
Wie viel Uhr ist es?	
Es ist halb eins.	It's half past twelve.
Es ist achtzehn Uhr zwanzig.	It's twenty past six.

die Tage der Woche sagen

Montag, Dienstag, Mittwoch …	Monday, Tuesday, Wednesday …

einen Schultag beschreiben

Ich stehe um Viertel vor sieben auf.	I get up at a quarter to seven.
Ich verlasse das Haus um Viertel nach sieben.	I leave the house at a quarter past seven.
In der ersten Stunde habe ich Mathe.	My first lesson is Maths.
Die erste Stunde beginnt um zehn vor acht.	The first lesson starts at ten to eight.
Die zweite Stunde endet um neun Uhr vierzig.	The second lesson ends at twenty to ten.
Es gibt eine Pause nach der zweiten Stunde.	There's a break after the second lesson.
Die Schule ist um ein Uhr aus.	School finishes at one o' clock.
Ich mache meine Hausaufgaben von halb zwei bis vier.	I do my homework from half past one to four o'clock.

deine Meinung ausdrücken

Was ist dein Lieblingsfach?	What's your favourite subject?
Kunst ist mein Lieblingsfach.	Art is my favourite subject.
Wie findest du Erdkunde?	What do you think of Geography?
Erdkunde gefällt mir nicht.	I don't like Geography.
Das Fach finde ich ziemlich interessant.	The subject is quite interesting.
Der/die Lehrer/in ist zu streng.	The teacher is too strict.
Der/die Lehrer/in ist echt nett.	The teacher is really nice.
Chemie finde ich wirklich interessant.	I think Chemistry is really interesting.

6 Entschuldigung ...

Hier lernst du ...

Treffen wir uns vor dem Theater?

OK. Gut. Bis dann. Tschüss.

einen Treffpunkt auszumachen

Melanie Buntebarth, 17. Sie hat einen Job im Vegetariercafé. Wohnt in der Bahnhofstraße ...
zu sagen, wo jemand wohnt oder arbeitet

Wie komme ich zum Fußballstadion?

Geh hier rechts und nimm dann die zweite Straße links.

nach dem Weg zu fragen

Ich komme aus Salzfurth. Es gibt hier nicht viel für junge Leute.

deinen Wohnort zu beschreiben

---

a

1 🔲 Ach nein! Die Kamera ist kaputt!

Hör zu. Paul zeigt seiner Freundin Sezen Fotos von der Stadt.
In welcher Reihenfolge beschreibt er die Fotos?
Beispiel

1 e, ...

b

c

d

e

f

2 🔲 Richtig oder falsch?

Lies die Sätze unten und hör dem Dialog noch einmal zu.
Sind sie richtig oder falsch?
Beispiel

1 falsch

1 Das Foto von der Hauptstraße gefällt Sezen gut.
2 Das Foto vom Fußballstadion gefällt Sezen gut.
3 Sie findet das Foto vom Bahnhof nicht so gut.
4 Das Foto vom Schloss findet Sezen schön.
5 Sie findet das Foto vom Dom schrecklich.
6 Das Foto vom Eiscafé gefällt Sezen nicht.

JUNI
10 Montag

Hausaufgaben: Englisch, Bio, Mathe (schrecklich)

16.00 Uhr bis 16.30 Uhr: Theaterworkshop mit Sezen Anja und Ralf (im Theater!)

Omas Geburtstag: 19.00 Uhr im Restaurant in der Mozartstraße . Geburtstagskarte und Geschenk nicht vergessen!!!

3 Annas Tagebuch

Sieh dir Annas Tagebuch an.

JUNI
11 Dienstag

Hausaufgaben: Deutsch, Geschichte

15.00 Uhr: Martin – Schwimmbad. Geld nicht vergessen

20.00 Uhr: Kino mit Sezen und Anja

JUNI
12 Mittwoch

Hausaufgaben: Englisch, Erdkunde, Mathe

15.00 Uhr: Jugendzentrum (Fitnesstraining)

17.00 Uhr: mit M und Anja – Eiscafé am Marktplatz (Fotos mitbringen!!!)

JUNI
13 Donnerstag

Hausaufgaben: Bio, Deutsch

15.00 Uhr: Tennis mit Mmmmmartin im Sportzentrum

19.00 Uhr: Onkel Franz – Krankenhaus

treffen uns um 17 .50 Uhr am Bahnhof. NICHT NICHT NICHT VERGESSEN !!!

JUNI
14 Freitag

Hausaufgaben: Physik, Chemie, Englisch

15.00 Uhr: Theaterworkshop mit Sezen Anja Ralf

18.00 Uhr: Fitnesstraining mit M im Jugendzentrum (Wir treffen uns um 17.50 Uhr am Bahnhof. NICHT NICHT NICHT VERGESSEN !!!)

JUNI
15 Samstag

10.00 Uhr: Shopping in der Fußgängerzone mit Sezen. (Treffpunkt: Rathaus.) Neue Schuhe – Warenhaus Primavera? Schuhgeschäft in der Schusterstraße? Modegeschäft in der Beethovenstraße?
CD für M – Musikladen? Warenhaus?

20.00 Uhr: Martin – Hexenhammer live im Fußballstadion

JUNI
16 Sonntag

11.00 Uhr: Stadtpark: mit M joggen

Nachmittag: Französischvokabeln mit Anja üben?

4 Gedächtnisspiel

Wie viele Orte kannst du in Annas Tagebuch finden? Mach dein Buch zu. Dann schreib eine Liste ins Deutschheft auf. Du hast zwei Minuten.
Beispiel
das Theater
das Restaurant in der Mozartstraße

5 Noch etwas!

Wie findest du Annas Wochenplan? Was ist gut/langweilig an jedem Tag? Mach Notizen.
Beispiel

Tag	Gut	Langweilig
Samstag	Hexenhammer live im Fußballstadion	Shopping in der Fußgängerzone

6 Wann und wo?

Teste deinen Partner/deine Partnerin. Ein Partner/ eine Partnerin macht das Buch zu. Der/die andere stellt Fragen.
Beispiel

A Wann ist Anna im Krankenhaus?

B Am Donnerstag.

A Richtig.

A Wo ist Anna am Samstag?

B In der Fußgängerzone.

A Das stimmt.

7 Und nächstes Jahr?

Schreib Annas Tagebuch für drei Tage im folgenden Jahr. Hat sie neue Freunde? Hat sie neue Interessen? Wer ist jetzt im Krankenhaus usw.?

Lerntipp	Maskulinum	Femininum	Neutrum
Nominativ	der Musikladen	die Mozartstraße	das Kino
Dativ	im Musikladen	in der Mozartstraße	im Kino

1 📼 Wo treffen wir uns?

Hör zu und lies die Fotogeschichte.
Es ist Freitagabend. Es regnet. Martin wartet auf Anna.

1 Also, wir treffen uns um acht Uhr vor dem Kino in der Marktstraße. Wo ist sie denn? Oder war das um acht Uhr vor dem Busbahnhof?

Vor dem Kino

2 Gegenüber von der Kirche?

Vor dem Busbahnhof

3 Vor dem Rathaus?

Gegenüber von der Kirche

4 Nee ... Oder war das ... um neun Uhr vor der Post?

Vor dem Rathaus

5 Oder vor dem Dom? Oder zwischen der Bäckerei und der Konditorei ... oder im Café ... ?

Vor der Post

6 Was machst du denn am Samstagabend?

16 Ich gehe mit Martin ins Kino.

Im Theaterworkshop

2 📼 Treffen wir uns in der Post?

Du hörst jetzt Telefongespräche. Welches Bild passt zu welchem Gespräch?
Achtung! Du hörst 5 Telefongespräche. Es gibt 6 Bilder!
Beispiel
1 e

a Buchhandlung

b Post

c Post Musikladen Eiscafé

d Post Eiscafé Musikladen

e Post

f Buchhandlung Verkehrsamt

3 📼 Noch etwas!

Hör Dialog 1 (Bild e) noch einmal zu.
Mit einem Partner oder einer Partnerin mach Dialoge zu den Bildern a, b, c, d und f. Dann schreib Dialoge a, c und d auf.

4 Hinter dem Dom?

Schreib die Szenen 6 bis 16 aus ‚Wo treffen wir uns?'.
Beispiel
Vor dem Dom
Martin: Im Dom? Hinter dem Dom? Nein.
Im Café Nelke?

5 🔲 Wer spricht?

Lies den Artikel unten. Hör gut zu und mach Notizen.
Wer spricht? Ist es Stefan, Anja, Markus oder Melanie?

BAHNHOFSTRASSE · NEUE SERIE!

Stefan Planck, 19. Hat einen Job im Fitnesszentrum im Hotel am Marktplatz. Stefan hat eine Wohnung in der Bahnhofstraße direkt gegenüber von Melanie. Er ist verliebt in Anja.

Anja Littbarski, 16. Schülerin an der Wilhelm-Busch-Schule.

Arbeitet sonntags im Café in der Konditorei. Sie wohnt in der Bahnhofstraße neben Markus Scholl. Anja ist verliebt in Markus.

Markus Scholl, 22. Student. Stefans bester Freund. Arbeitet sonntags im Hamburger-restaurant hinter dem Bahnhof, donnerstags und freitags im Kiosk vor dem Dom und

samstags im Stadtmuseum. Er wohnt in der Bahnhofstraße in der Nähe von Stefan. Verliebt in Melanie und Anja.

Melanie Buntebarth, 17. Anjas beste Freundin. Sie hat einen Job im Vegetariercafé in der Fußgängerzone. Wohnt in der Bahnhofstraße zwischen der Bäckerei und der Konditorei. Verliebt in den Bruder von Stefan.

6 Stimmt das?

Korrigiere die falschen Sätze.
Beispiel
3   Anja arbeitet im Café <u>in</u> der Konditorei.

1   Stefan arbeitet im Hotel am Marktplatz.
2   Stefan wohnt am Bahnhofsplatz direkt gegenüber von Melanie.
3   Anja arbeitet im Café neben der Konditorei.
4   Anja wohnt neben der Wilhelm-Busch-Schule.
5   Markus ist Student.
6   Markus hat einen Job im Bahnhof.
7   Melanie wohnt im Vegetariercafé.
8   Melanie arbeitet in der Bäckerei neben der Konditorei.

7 Noch etwas!

Spiel jetzt ‚Stimmt das?' mit einem Partner oder einer Partnerin.
Beispiel

A Anna arbeitet samstags im Café. Stimmt das?

B Das stimmt nicht. Sie arbeitet sonntags im Café.

8 Und die anderen?

Kannst du vier weitere Personen für diese Serie erfinden?
Schreib drei oder vier Informationen zu jeder Person.
Beispiel
Thorsten Scholl, 20. Bruder von Markus. Arbeitet ...

Lerntipp

Nominativ	
Das ist	der Dom.
	die Post.
	das Kino.
Dativ	
Vor/neben	
Hinter/in	dem Dom.
An/zwischen	der Post.
	dem Kino.
Gegenüber von	
In der Nähe von	

Achtung!

von	+	dem	=	**vom**
in	+	dem	=	**im**
an	+	dem	=	**am**

1 📼 Wie komme ich zum Jugendzentrum ‚Oase'?

Dienstag. Herr Schmidts zweiter Tag im Verkehrsamt. Er hat jetzt einen Stadtplan. Hör gut zu.

1
- Wie komme ich zum Bahnhof?
- Nehmen Sie bitte einen Stadtplan. Der Bahnhof ist … hier.

2
- Wie komme ich zur Eissporthalle?
- Nehmen Sie bitte einen Stadtplan. Die Eissporthalle ist … hier.

3
- Wie komme ich zum Schwimmbad?
- Nehmen Sie bitte einen Stadtplan. Das Schwimmbad ist … hier.

4
- Wie komme ich zum Jugendzentrum ‚Oase'?
- Nehmen Sie bitte einen Stadtplan. Das Jugendzentrum ‚Oase' ist … äh Moment … ist … ist … nicht auf dem Plan … Tut mir Leid.

5
- Zum Jugendzentrum ‚Oase'? Gehen Sie hier rechts. Nehmen Sie die zweite Straße links. Gehen Sie dann die Mozartstraße entlang. An der Kreuzung gehen Sie … links. Und das Jugendzentrum ist hier auf dem Plan, neben dem Schwimmbad.
- Vielen Dank. Auf Wiedersehen.

6
- Aaaaaaaah!

2 📼 Wie bitte?

Sieh dir den Stadtplan auf Seite 65 an. Du bist direkt vor dem Verkehrsamt. Hör gut zu. Du hörst fünf Wegbeschreibungen. Wie ist die Frage?

Beispiel
1   Wie komme ich am besten zur Jugendherberge?

1   Wie komme ich am besten zur Jugendherberge?/ zum Busbahnhof?/zum Rathaus?

2   Wie komme ich zur Stadthalle?/ zum Stadtmuseum?/zum Krankenhaus?

3   Wie komme ich zur Post?/zur Bäckerei?/ zum Kino?

4   Wie komme ich am besten zum Theater?/ zum Café Nelke?/zum Bahnhof?

5   Wie komme ich am besten zur Berliner Bank?/ zum Warenhaus Primavera?/zum Fußballstadion?

3 Orientierung

Gehen Sie Geh	(an der Ampel) (an der Kreuzung) (hier)	links. rechts. geradeaus. bis zur Kreuzung. bis zur Ampel. die Hauptstraße entlang.	
Nehmen Sie die Nimm	erste zweite dritte	Straße	links. rechts.
Der Campingplatz ist auf der		linken rechten	Seite.

Lerntipp
zu + Dativ

Wie komme ich …	**zum** Bahnhof?
	zur Eissporthalle?
	zum Schwimmbad?

Achtung!

zu	+	dem	=	**zum**
zu	+	der	=	**zur**

4 🔲 Herr Schmidts dritter Tag im Verkehrsamt

Sieh dir den Stadtplan unten an und hör zu.
Sind Herr Schmidts Wegbeschreibungen richtig oder falsch?
Beispiel
1 falsch

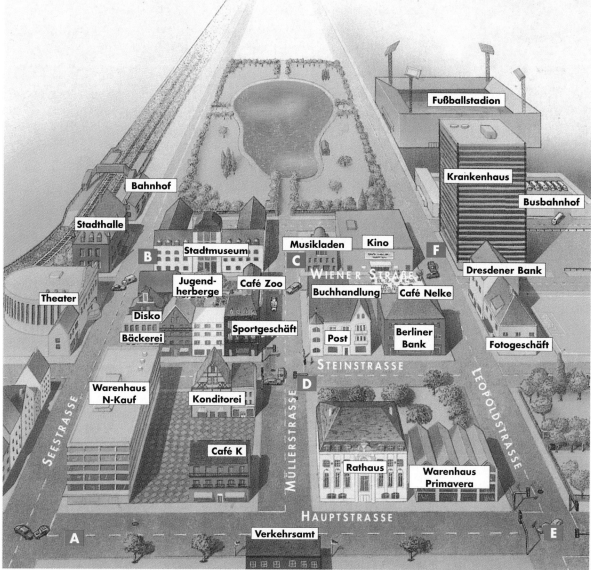

5 Wie komme ich … ?

Mit Hilfe des Stadtplans oben mach jetzt Dialoge mit einem Partner/einer Partnerin. Du stehst direkt vor dem Verkehrsamt.
Beispiel

A Wie komme ich zum Fußballstadion?

B Gehen Sie die Müllerstraße entlang … und das Stadion ist hinter dem Busbahnhof.

6 Herr-Schmidt-Dialoge!

Improvisiere mit einem Partner oder einer Partnerin Herr-Schmidt-Dialoge.
Beispiel
Tourist: Wie komme ich zum Stadion?
Herr Schmidt: Gehen Sie die Müllerstraße entlang. Gehen Sie an der Ampel links, äh nein, rechts … usw.

Dann schreib einen langen Herr-Schmidt-Dialog in dein Deutschheft.

1 ⊟ Was gibt es hier für junge Leute zu tun? KLARO-Umfrage

Hör gut zu und lies den Artikel.

Es gibt hier viel für junge Leute. Wir haben Kinos, Diskos, Cafés. Meine Freunde und ich treffen uns oft im Café ‚El Puente‘. Es gibt natürlich auch das Theater und das Schwimmbad. Ja, es gibt ein paar Jugendzentren. Es gibt die Bowlinghalle, die Eissporthalle, das Sportzentrum. Für die Touristen gibt es den schönen Marktplatz. Es gibt hier viel.

Siu, 14 Jahre, Hildesheim

Es gibt hier nicht viel für junge Leute. Wir haben ein Café. Es gibt freitags eine Disko. Es gibt ein Sportzentrum im nächsten Dorf. Das ist nicht viel. Aber es geht. Meine Freundinnen und ich treffen uns oft nach der Schule im Café. Und wir wohnen hier natürlich mitten in der Natur. Ja, das finde ich eigentlich ganz toll.

Ramona, 15 Jahre, Harsum

Es gibt hier gar nicht viel für Jugendliche. In der Stadtmitte gibt es ein paar Cafés und ein Restaurant. Ja, und das ist alles. Wir haben kein Kino, kein Videogeschäft, nichts. In der Einbecker Straße gibt es ein Jugendzentrum, aber das ist für die Kids. Langweilig. Langweilig. Und wir haben auch ein Schwimmbad, aber das ist auch nichts für mich.

Kristian, 14 Jahre, Arnstedt

Die Stadt ist ganz toll. In der Fußgängerzone gibt es allerlei Geschäfte. In der Stadtmitte haben wir auch drei Kinos. Die sind ganz toll. Wir haben auch eine Schwimmhalle in der Nähe von der Schule. Neben der Schwimmhalle gibt es auch die Eissporthalle. Wir haben ein Fitnesszentrum in der Stadtmitte, wo meine Mutter arbeitet. Ja, es gibt hier viel für junge Leute.

Alex, 14 Jahre, Unzmarkt

In einer Großstadt gibt es natürlich alles. Diskos, Geschäfte, große Warenhäuser, gute Sportmöglichkeiten, alles. In Berlin haben wir zwei Fußballstadien, zwei Opernhäuser, jede Menge Kinos, jede Menge Theater, zwei Zoos, Konzerthallen, Restaurants … Hier kannst du alles machen.

Lisa, 14, Berlin

2 Wer hat eine positive Meinung?

Wer hat eine positive Meinung? Wer hat eine negative Meinung? Mach zwei Listen.

Beispiel

Positive Meinung	Negative Meinung
Siu	

3 Beantworte die Fragen!

Lies den Artikel noch einmal und beantworte die Fragen unten.

Beispiel
1 Lisa

1 Wer wohnt in einer Großstadt?
2 Wer wohnt nicht in einer Stadt?
3 Was für Sportmöglichkeiten gibt es in Hildesheim?
4 Wo treffen sich nachmittags Ramona und ihre Freundinnen?
5 Gefällt Kristian das Jugendzentrum in der Einbecker Straße?
6 Was gibt es im Zentrum von Unzmarkt?
7 In welcher Stadt gibt es zwei Zoos?

4 🔲 Wo wohnen sie?

Du hörst jetzt sechs junge Leute. Hör gut zu und mach Notizen.
Wo wohnen sie?

Beispiel
1 Daniel – Arnstedt

Hildesheim
Harsum
Arnstedt
Unzmarkt
Berlin

 Daniel
 Heike
 Marco
 Jasmin
 Peter
 Jenny

5 Der Chef ist sauer

Der Artikel auf Seite 66 ist viel zu lang! Ich brauche nur zwei oder drei Sätze pro Person. Du hast fünfzehn Minuten!

Beispiel
Die Stadt ist ganz toll. In der Fußgängerzone gibt es allerlei Geschäfte. Ja, es gibt hier viel für junge Leute.
Alex, 14 Jahre, Unzmarkt

Achtung!
Es gibt + Akkusativ

6 Und wo wohnst du?

Was gibt es in deiner Stadt/deinem Dorf für junge Leute? Schreib einen Artikel für das Magazin KLARO. Nimm den Artikel auf Kassette oder auf Videokassette auf!

7 Mein Wohnort

Schreib fünf Schlüsselwörter aus deinem Artikel auf ein Blatt Papier. Wie viel kannst du jetzt über deinen Wohnort sagen?

Lerntipp

In meiner Stadt Es	gibt es gibt	den Marktplatz. die Eissporthalle. das Sportzentrum.
In Berlin Wir	haben wir haben	ein Kino. zwei Fußballstadien.

Du hast die Wahl

1 Ramona, Kristian, Alex und ich

Lies noch einmal die Texte auf Seite 66. Schreib Steckbriefe für Ramona, Kristian und Alex. Du findest nicht alles im Text. Du brauchst Fantasie! Dann schreib selbst einen Steckbrief.

Beispiel

Familienname: Wagner
Vorname: Alex
Alter: 14 Jahre
Wohnort: Unzmarkt
Geschwister: ein Bruder, eine Schwester
Haustiere: ein Pferd
Lieblingsfach: Deutsch
Lieblingsplatz: Fußballstadion in Graz

2 Ein Brief an ein Verkehrsamt

Schreib und schicke einen Brief an ein Verkehrsamt in einer Stadt in Deutschland, Österreich oder in der Schweiz. Bitte um Informationsmaterial über die Stadt.

Beispiel

```
Liverpool, den 16. November (Jahr)
An das Verkehrsamt
Graz
Österreich

Sehr geehrte Damen und Herren,

Ich fahre im Sommer      mit meiner Familie    nach Österreich.
                         mit meinen Freunden   nach Deutschland.
                                               in die Schweiz.


Ich möchte gerne        die Stadt                bekommen.
Informationsmaterial    die Gegend
über                    Sportmöglichkeiten
                        Hotels
                        Campingplätze


Was gibt es in … zu tun?

Gibt es in …        einen Dom?
                    eine Jugendherberge?
                    ein Schloss?
                    viele Geschäfte?


Mit freundlichen Grüßen
```

3 Klassenkampf

Hör mal der sechsten Episode der Serie zu: ‚Du bist zu jung …'

4 Herr Schmidts Fahrstunde

Sieh dir den Stadtplan auf Seite 65 an und hör gut zu. In welchem Auto macht Herr Schmidt seine Fahrstunde? Im Auto A, B, C, D, E oder F? Die Fahrstunde beginnt vor dem Verkehrsamt und sie fahren Richtung Leopoldstraße.

5 Wo wohnen sie?

Drei junge Leute: Kirsten, Tarek und Tina.
Zwei Wohnorte: Wolfenbüttel und Wolfenheim.
Wer wohnt in Wolfenbüttel?
Wer wohnt in Wolfenheim?
Hör gut zu. Und denke logisch mit.
Tipp: Mach Notizen. Du musst alle drei hören um die Lösung herauszukriegen.

Kirsten wohnt in …
Tarek wohnt in …
Tina wohnt in …

6 Hilfe!

Lies das Gedicht unten. Es gibt Lücken im Text. Füll die Lücken mit Reimen aus.
Beispiel
‚Geradeaus' reimt sich auf ‚Warenhaus' oder ‚Krankenhaus'.
Zu kompliziert? Hör der Kassette gut zu.
Dann schreib das Gedicht in dein Deutschheft auf.

Hilfe!

Zweite links, dann geradeaus,
So komme ich nicht zum ***********·
Zweite links, dann erste rechts,
Jetzt stehe ich vor dem ***********·
Erste links, dann *********·
So komme ich schnell zum Warenhaus.
An der Ampel wieder ******,
Jetzt bin ich vor dem Sportgeschäft.
An der Kreuzung geradeaus,
Mein Opa wohnt in diesem ****.
Wieder links und nochmal rechts,
O Mann, O Mann, wo bin ich *****?

Zusammenfassung

Grammatik

	Maskulinum	**Femininum**	**Neutrum**
Nominativ			
das ist	der Dom	die Post	das Kino
Dativ			
vor/neben in/hinter an/zwischen	dem Dom	der Post	dem Kino
gegenüber von in der Nähe von	dem Dom	der Post	dem Kino
wie komme ich	zum Dom	zur Post	zum Kino
Abkürzungen			
in dem = im an dem = am	von dem = vom zu dem = zum	zu der = zur	

Jetzt kannst du ...

einen Treffpunkt ausmachen

Wo treffen wir uns?	Where shall we meet?/are we meeting?
Treffen wir uns um acht Uhr vor dem Dom.	Let's meet at 8 o'clock outside the cathedral.
Wir treffen uns gegenüber vom Kino.	We're meeting opposite the cinema.

sagen, wo jemand wohnt oder arbeitet

Christina hat einen Job im Musikladen.	Christina has got a job in the music shop.
Stefan arbeitet in der Bank.	Stefan works in the bank.
Andreas wohnt neben dem Park.	Andreas lives next to the park.

nach dem Weg fragen

Wie komme ich zum Dom?	How do I get to the cathedral?
Wie komme ich am besten zur Post?	What's the best way to get to the post office?
Nehmen Sie die erste Straße links.	Take the first street on the left.
Gehen Sie an der Ampel geradeaus.	Go straight on at the traffic lights.
Geh die Mozartstraße entlang.	Go along Mozartstraße.
Nimm die zweite Straße rechts.	Take the second street on the right.
Der Campingplatz ist auf der linken Seite.	The camp site is on the left.

deinen Wohnort beschreiben

Wir haben keinen Dom.	We don't have a cathedral.
Die Stadt hat ein Stadion.	The town has a stadium.
In der Stadtmitte gibt es viele Warenhäuser.	There are lots of department stores in the town centre.
Die Stadt hat gute Sportmöglichkeiten.	The town has good sports facilities.
Das Dorf hat allerlei Geschäfte.	The village has all sorts of shops.
Hier gibt es viel/nichts für junge Leute.	There is a lot/nothing here for young people.

Lesepause

Meine Wunschliste

Meine Wunschliste

hundert Kinos
eine Bowlinghalle
tausend Diskos
meine eigene Bank
keine Schule

DANJA, 16, HOLLE

Meine Wunschliste

keine Häuser
keine Geschäfte
keine Fußgängerzone
keine Straßen
nur Wiesen

TAREK, 14, HAMBURG

Meine Wunschliste

ein Café im Esszimmer
ein Schwimmbad im Badezimmer
ein Fußballstadion im Garten
eine Konditorei in der Küche
ein Kino im Wohnzimmer
eine Disko im Keller
kein Theater in der Familie

WOLKAN, 15, DRESDEN

Mein Lieblingsplatz

Mein Lieblingsplatz ist die Eissporthalle. Wenn ich Eishockey spiele, vergesse ich alle meine Probleme. Ich fühle mich dabei fantastisch.

KARL JOHANSSEN, 15 JAHRE, SKORPING, DÄNEMARK

Mein Lieblingsplatz ist das Kino. Es hat viel Atmosphäre und man ist unter vielen Leuten. Ich liebe Filme.

Meine Freunde und ich gehen oft ins Kino. Dort kann man zusammen lachen und weinen.

NATALIE VLCKOVA, 16 JAHRE, CLAUSTHAL-ZELLERFELD

Auf der anderen Seite der Stadt gibt es eine Straße, die ich mag. Ich bin nicht ganz sicher, wie sie heißt. Es gibt nur wenige Autos und Fußgänger dort. Es ist ruhig. Dort kann ich nachdenken, träumen. Der Winter, der

Frühling, der Sommer, der Herbst: Jede Jahreszeit bringt etwas Neues.

SOPHIE KOWALCZYK, 15 JAHRE, CONNECTICUT , USA

Mein Lieblingsplatz ist der Park. Ich bin hier ganz allein und habe meine Ruhe. Ich denke hier stundenlang über meine Freunde und meine Feinde nach. Ich kann hier auch weinen und niemand sieht meine Schwäche.

ASTRUD MÜLLER MAAS, 15 JAHRE, TIMBO, PRAG

Ein Brief aus Prag

der Marktplatz

das Schloss

Kirche in der Stadtmitte

Prag, den 12. Februar

Lieber Dominik,

Die ersten drei Wochen in Prag sind vorbei. Ich hasse es hier.
Mein Vater hat diesen Job hier bei Skoda (ja, bei Skoda) und er ist
nie zu Hause. Leider hat meine Mutter auch einen guten Job hier
und sie ist oft nicht da. Meine Schwester ist natürlich da ...
(leider). Ich habe keine Freunde. Ich denke oft an meine Freunde
in Bonn.

Ich gehe zur Internationalen Schule in Prag. Der Unterricht ist
normalerweise auf Englisch. Ja, Englisch!!! Mathe ist schon
kompliziert genug, aber auf Englisch ... unmöglich. Und Physik ...
Ich verstehe kein Wort. Nichts.

Meine Schulkameraden sind alle Amerikaner (glaube ich ...). Es
gibt einen Jungen aus Irland, Vergal (oder ist es Fergal?), und er
ist ganz nett. Er kann auch gut Deutsch. Wir gehen nächste Woche
zum Fußball. FC Sparta Prag gegen FC Paris Saint Germain (oder
ist es Siant Germian???)

Wir haben eine Wohnung nicht weit von der Stadtmitte.
Die Wohnung ist ganz alt. Aber ich habe ein eigenes Schlafzimmer.
Gott sei Dank! Ich habe meinen eigenen Fernseher im
Schlafzimmer, aber ich verstehe gar nichts. Ich gucke nur Sport.

Die Stadt ist eigentlich ganz schön, besonders im Winter (siehe
Fotos – Rathaus, Dom, Marktplatz, Altstadt.) Das Schloss ist ganz
toll. (Wie Drakulas Schloss.) Es gibt Touristen überall. Die meisten
sind Deutsche ... Typisch.

Hier gibt es nichts für mich. Nichts. Wirklich. Es gibt ein
Jugendzentrum nicht weit von hier, aber ich kann kein
Tschechisch ... (oder ist es Tschechoslowakisch?) Ich kann nur
‚Dobry den' sagen (‚dobry den' = ‚Guten Tag'). Unmöglich.

Gegenüber von unserer Wohnung wohnt ein Mädchen. Sie ist ganz
nett. Sie sagt immer ‚Dobry den'. Jeden Morgen. ‚Dobry den.
Äh, Dobry den.' Ich bin nicht ganz sicher, wie sie heißt ... Natalie
oder Natalia oder sowas ... Sie ist ganz nett. Wir gehen nächste
Woche schwimmen. Irgendwo. Ich brauche ein Wörterbuch ...
Es gibt ein Schwimmbad nicht weit von hier. Vielleicht gehen wir
dahin. Das Mädchen ist ganz nett.

Wie geht's?

Schreib bald.

Sebastian

P.S. Der Computer ist neu!

7 Freizeit und Hobbys

Hier lernst du ...

> Was machst du in deiner Freizeit?

> Ich spiele am Computer.

über deine Hobbys zu sprechen

> Welche Hobbys hat Jörg?

> Er baut Modellflugzeuge.

über die Hobbys deiner Freunde und Freundinnen zu sprechen

> Dreimal in der Woche spiele ich Gitarre.

zu sagen, wie oft du etwas machst

> Was machen Rolf und Eleni?

> Sie fahren Rad.

zu sagen, was andere Leute machen

1 Freizeit nach Wunsch?

‚Eine Minute auf der Straße' stellt Fragen in Wuppertal. Welche findest du interessant – und welche findest du nicht so interessant? Ordne sie von 1 bis 8.

> **1** Gehst du in die Stadt?

> **2** Machst du deine Hausaufgaben?

> **3** Gehst du schwimmen?

> **4** Sammelst du etwas?

> **5** Fährst du Rad?

> **6** Spielst du Fußball?

> **7** Siehst du fern?

> **8** Liest du?

2 🔲 Noch etwas!

Jetzt hör gut zu. Hast du dieselbe Reihenfolge wie Anna?

3 💾 Wie antworten sie?

Jetzt stellt man Jugendlichen diese Fragen. Wie antworten sie?
Hör gut zu. Welcher Satz passt zu welchem Foto?
Beispiel
1   f

Ich spiele Fußball.

Ich lese.

Ich sammle Telefonkarten.

Ich fahre Rad.

Ich gehe schwimmen.

Ich gehe in die Stadt.

Ich mache meine Hausaufgaben.

Ich sehe fern.

4 💾 Sportlich oder nicht?

Sportlich oder nicht? Diese Frage stellt man den Zuhörern
von ‚Eine Minute auf der Straße‘.
Hör wieder zu und mach zwei Listen.

Sportlich	Nicht sportlich
ich spiele Fußball	ich lese

5 Was ist das für ein Hobby?

Wähl ein Hobby. Dein/e Partner/in muss es dann erraten.
Beispiel

A Sammelst du Telefonkarten?   **B** Nein.

A Liest du?   **B** Nein.

A Gehst du schwimmen?   **B** Ja. Jetzt bist du dran.

Lerntipp
Verben (ich/du)

Ich spiel**e**.	Spiel**e ich**?
Du spiel**st**.	Spiel**st du**?

1 📼 Partnervermittlungsbüro

Du bist die Managerin eines Partnervermittlungsbüros.
Deine Assistentin liest dir Hobbys von vier neuen Kunden vor. Hör gut zu. Welche Hobbys haben sie?
Beispiel
Bernd Lehmann – 12, ...

Bernd Lehmann	Carsten Thalbach	Martina Schulze	Birgit Schlötterer

2 Partnersuche

Lies die Beschreibungen unten. Kannst du Partner für Bernd, Carsten, Martina und Birgit finden?
Beispiel
Bernd Lehmann – Heidi Voß

Name	Hobbys
Andreas Chiotis	Er spielt Tennis und er geht joggen und angeln. Er fährt auch Ski und Skateboard.
Tina Saure	Sie sammelt Abzeichen und Plüschtiere und spielt gern Klavier. Außerdem zeichnet sie und hört Musik.
Alex Meglin	Er treibt viel Sport – er spielt Tennis und geht auch joggen. Er fährt auch ein bisschen Ski und er hört sehr gern Musik.
Heidi Voß	Sie hat nicht so viele Hobbys, aber sie zeichnet sehr viel und baut Modellflugzeuge und Modellautos.

3 Noch etwas!

Jetzt schreib Sätze über Bernd, Carsten, Martina und Birgit.
Beispiel

Name	Hobbys
Bernd Lehmann	Er baut Modellflugzeuge ...

Lerntipp

Verben (im Singular)

	Schwache (regelmäßige) Verben	Starke (unregelmäßige) Verben	
	spielen	**sehen**	**fahren**
ich	spiel**e**	seh**e**	fahr**e**
du	spiel**st**	sieh**st**	fähr**st**
er/sie/es man/Max/ meine Schwester	spiel**t**	sieh**t**	fähr**t**

4 Sibylle und Michael

Welche Hobbys haben Sibylle und Michael?
Beispiel
Sibylle – e, …

a Ich fahre Rad.

b Ich spiele Fußball.

c Ich höre Musik.

d Ich gehe angeln.

e Ich spiele Tennis.

f Ich gehe schwimmen.

g Ich fahre Rollschuh.

Sibylle

Michael

5 Wer ist denn das?

Mach Interviews mit zehn Schülern/innen in deiner Klasse und mach Notizen über ihre Hobbys. Dann beschreib irgendeinen/irgendeine von ihnen. Kann dein/e Partner/in herausfinden, wer es ist?
Beispiel

A Sie spielt am Computer, sie spielt Fußball, sie …

B Das ist Holly.   **A** Nein.

6 Bananenfieber!

Lies den Artikel. Zwei dieser Bilder findest du im Text, aber das dritte findest du nicht. Welches ist das?

Möchtest du etwas sammeln? Hier sind einige Ideen: Aufkleber, Plüschtiere, Bananen …

Bananen? Ja, wirklich! Im ersten Bananenmuseum Europas findest du nur Bananen – oder Sachen aus Bananen.

- Bist du müde? Hier in dieser Bananentasche sind ein Bananenkissen und ein Bananenschlafsack.

- Du möchtest Musik hören? Dann ist dieser Bananenlautsprecher ideal für dich!

- Und wie bezahlst du deinen Eintritt? Mit Geld aus deiner Bananensparbüchse? Nein, mit einer Banane natürlich!

1 Wie oft macht man das?

Sieh dir diese Wörter an. Wie ist die richtige Reihenfolge?

Beispiel

ab und zu, in den Ferien …

| am Wochenende | dreimal in der Woche | fast jeden Abend |

| ab und zu | in den Ferien | jeden Abend |

2 Wie andere uns sehen

Für die Fernsehsendung ‚Wie andere uns sehen' beschreiben sich zwei Mädchen, Trudi und Heike. Hör gut zu.

3 Und die anderen – was sagen sie?

Jetzt beschreiben ihre Verwandten und Freundinnen die Mädchen. Sieh dir deine Tabelle an. Welche Unterschiede findest du? Schreib sie in dein Heft auf.

Beispiel

Heike

Einmal in der Woche geht sie schwimmen.

Dreimal in der Woche gehe ich schwimmen.

Heike

Trudi

Elke   Heike

1

Ich verbringe viel Zeit mit ihr. Am Wochenende geht sie meistens in die Stadt mit mir und einmal in der Woche geht sie schwimmen. Sie sieht fast jeden Abend fern und in den Ferien hilft sie ihren Eltern im Garten. Sie macht nur ab und zu ihre Hausaufgaben.

Elke – Heikes Freundin

2

Nur in den Ferien hilft sie mir im Garten. Ab und zu macht sie ihre Hausaufgaben, aber fast jeden Abend sieht sie drei oder vier Stunden fern. Sie ist nicht sehr sportlich – einmal in der Woche geht sie schwimmen. Am Wochenende geht sie meistens in die Stadt.

Frau Scholl – Heikes Mutter

3

Am Wochenende sieht sie fern und sie zeichnet auch ein bisschen. Jeden Abend liest sie in ihrem Zimmer – aber nur ab und zu macht sie ihre Hausaufgaben und deshalb hat sie Probleme in der Schule. Sie ist nicht sehr sportlich; sie geht nur ab und zu joggen.

Herr Jürgens – Trudis Vater

4

Sie ist ziemlich fleißig. Fast jeden Abend liest sie ein bisschen und sie macht auch jeden Abend ihre Hausaufgaben. Jeden Abend sieht sie fern – sie hat einen Fernseher im Zimmer. Sie ist nicht sehr sportlich; sie geht nur ab und zu schwimmen.

Inge – Trudis Freundin

4 Und die Siegerin ist …

Jetzt sieh dir die Sätze in deinem Heft an. Welches Mädchen ist ehrlicher? Sie ist die Siegerin!

Lerntipp

Wortstellung

1	2	3	4
Ich	**spiele**	jeden Abend	Fußball.

Aber …

1	2	3	4
Jeden Abend	**spiele**	ich	Fußball.

Achtung!

ein
zwei
drei } … mal in der Woche
vier
fünf

5 Freizeitmischung!

Anke ist sportlich, aber Daniel nicht! Was machen sie und wie oft?
Du bildest Sätze über Anke. Dein/e Partner/in bildet Sätze über Daniel.
Wer von euch schafft die meisten Sätze?
Beispiel
Daniel:

Am Wochenende	zeichnet	er.

spielt	Squash	er	Comics	liest	sie
Klavier	fast jeden Abend	arbeitet	angeln	ab und zu	fährt
in den Ferien	Modellflugzeuge	Gitarre	dreimal	Skateboard	joggen
Ski	treibt	baut	Sport	zeichnet	am Wochenende
geht	in die Stadt	Plüschtiere	zweimal in der Woche	im Garten	Fußball
Tennis	schwimmen	Rollschuh	am Computer	sammelt	hört

6 Noch etwas!

Jetzt schreib Sätze über Anke oder Daniel in dein Heft.

7 Jetzt bist du dran!

Und deine Familie oder deine Freunde? Was machen sie und wie oft?
Frag sie und dann schreib ein paar Sätze in dein Heft.
Beispiel
Mein Vater: Fast jeden Abend sieht er fern …

1 [▭] Wer ist wer?

Was machen diese Leute? Und wer ist wer? Hör gut zu und schreib die richtigen Nummern neben jedes Paar Namen.

Beispiel

Katja und Frank – 3 & 4

Sebastian und Jasmin   Daniela und Wiebke   Costas und Isabell   Gustav und Max

Claudia und Trixi   Katja und Frank

Lerntipp

Verben (im Plural)

	Schwache (regelmäßige) Verben	Starke (unregelmäßige) Verben	
	spielen	**fahren**	**lesen**
wir	spielen	fahren	lesen
ihr	spielt	fahrt	lest
Sie	spielen	fahren	lesen
sie Max und Tina mein Bruder und meine Schwester }	spielen	fahren	lesen

2 Wer seid ihr?

Arbeitet zu dritt. Zwei von euch übernehmen die Rolle von einem Paar im Bild. Der/die andere stellt Fragen. Wer seid ihr? Dann tauscht die Rollen.

Beispiel

A Was macht ihr?   **B & C** Wir spielen Fußball.   **A** Costas und Isabell.   **B & C** Ja.

3 Ratespiel

Jetzt schreib ein Ratespiel. Beschreib ein Paar im Bild. Dein/e Partner/in muss dann raten, wer es ist.

Beispiel

A Sie fahren Wasserski.   **B** Sebastian und Jasmin.

4 ⊡ Freizeitumfrage in Deutschland, Österreich und der Schweiz

Hier sind die Ergebnisse einer Freizeitumfrage in Schulklassen in Deutschland, Österreich und der Schweiz.

Hör gut zu und sieh dir die Kreisdiagramme an. Joachim, Sabine und Gzemal beschreiben die Hobbys ihrer Klassen. Woher kommen sie jeweils?

Beispiel
Joachim kommt aus …

Schüler aus Bamberg (Deutschland)

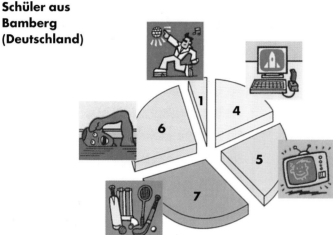

Schüler aus Wien (Österreich)

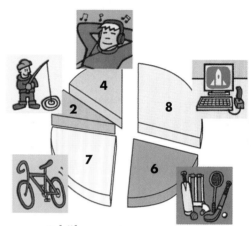

Schüler aus Luzern (Schweiz)

5 Noch etwas!

Schreib Sätze über die Schüler aus Luzern, Bamberg und Wien.

Beispiel
In der Klasse aus Bamberg
Sechs Schüler/innen spielen Fußball. Ein/e Schüler/in spielt am Computer.

6 Kreisdiagramm – deine Klasse

Jetzt mach ein Kreisdiagramm über die Hobbys von Schülern in deiner Klasse und schreib ein paar Sätze über sie.

7 Thorstens Hobbybrief

Lies Thorstens Brief. Dann schreib eine Antwort darauf. Sprich über dich und deine Familie und beantworte Thorstens Fragen.
Beispiel

Liebe Siobhan,
in deinem letzten Brief hast du mich nach meinen Hobbys und den Hobbys meiner Geschwister gefragt.
Jeden Abend spiele ich am Computer und am Wochenende lese ich.
Ich habe zwei Brüder, Volker und Uwe. Dreimal in der Woche fahren sie Rad und Volker spielt jeden Tag Fußball.
Und du? Was für Hobbys hast du? Hast du Geschwister – und welche Hobbys haben sie?
Schreib bald zurück.

Dein

Thorsten

Lieber Thorsten!

Danke für deinen Brief. Am Wochenende

🯅 Du hast die Wahl

1 Freizeitgedicht

Wähl Wörter aus dem Kasten und füll die Lücken aus. Kannst du auch dein eigenes Gedicht schreiben?

joggen
Fußball
fern
Hausaufgaben
doof
Karten
Gehst

Fährst du Rad? Spielst du <u>Karten</u>?
... find' ich _____ – bin im Garten!
Gehst du _____? Siehst du _____?
... find' ich blöd – ich lese gern!

Spielst du _____? Siehst du fern?
– _____ mach' ich gern!
_____ du schwimmen? Fährst du Rad?
Ich geh' lieber in die Stadt!

2 Freizeiträtsel

Kannst du dieses Rätsel lösen? Schreib danach dein eigenes Rätsel.

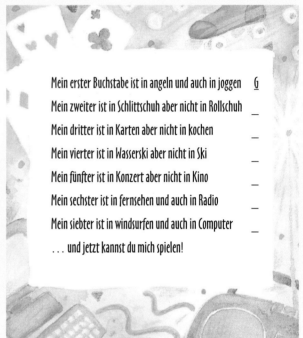

Mein erster Buchstabe ist in angeln und auch in joggen __G__

Mein zweiter ist in Schlittschuh aber nicht in Rollschuh __

Mein dritter ist in Karten aber nicht in kochen __

Mein vierter ist in Wasserski aber nicht in Ski __

Mein fünfter ist in Konzert aber nicht in Kino __

Mein sechster ist in fernsehen und auch in Radio __

Mein siebter ist in windsurfen und auch in Computer __

... und jetzt kannst du mich spielen!

3 ▭ Klassenkampf

Hör mal der siebten Episode der Serie zu: ‚Sezen, Dominik und ein Kino ...'

5 ▭ Zungenbrecher

Wie schnell kannst du diese Sätze sagen?
a Samstags spielt Stefan Speer Schach mit seiner Schwester Steffi.
b Schach spielen macht Spaß, aber Skifahren ist stinklangweilig!
c Steffi steigt den steilen Stein hinauf, aber Stefan bleibt stehen.
d Der Student sucht ein Stück Strudel oder eine Scheibe Stollen.

4 ▭ Aussprache

Hör gut zu und sprich die Wörter nach:
Spaß, spät, Spiegel, spielen, Sport, sprechen, springen, Spültisch, Stadion, Stadt, stehen, Straße, stricken, Student, Stück, Stuhl, Stunde.

6 ▭ Welche Sportarten hörst du hier?

Welche Sportarten hörst du hier? Hör gut zu und sieh dir die Bilder an.
Beispiel
3, ...

Zusammenfassung

Grammatik

Schwache (regelmäßige) Verben spielen			
(im Singular)		**(im Plural)**	
ich	spiel**e**	wir	spiel**en**
du	spiel**st**	ihr	spiel**t**
er/sie/es/man/Max meine Schwester	spiel**t**	Sie/sie Max und Tina	spiel**en**

Starke (unregelmäßige) Verben fahren			
(im Singular)		**(im Plural)**	
ich	fahr**e**	wir	fahr**en**
du	f**ä**hr**st**	ihr	fahr**t**
er/sie/es/man/Max meine Schwester	f**ä**hr**t**	Sie/sie Max und Tina	fahr**en**

Jetzt kannst du . . .

über deine Hobbys sprechen

Was machst du in deiner Freizeit?	What do you do in your free time?
Hast du ein Hobby?	Have you got a hobby?
Ich spiele am Computer.	I play on the computer.
Ich sehe fern.	I watch TV.
Ich lese Comics.	I read comics.
Ich sammle Telefonkarten.	I collect telephone cards.

über die Hobbys deiner Freunde und Freundinnen sprechen

Welche Hobbys hat er/sie?	What hobbies does he/she have?
Sie geht schwimmen.	She goes swimming.
Er fährt Skateboard.	He goes skateboarding.
Sie geht angeln.	She goes fishing.
Er hört Musik.	He listens to music.
Sie baut Modellflugzeuge.	She builds model planes.

sagen, wie oft du etwas machst

Dreimal in der Woche spiele ich Tennis.	I play tennis three times a week.
Er spielt jeden Abend Fußball.	He plays football every evening.
Ab und zu zeichnet sie.	Now and then she draws.
Am Wochenende treibe ich Sport.	At the weekend I do sport.
In den Ferien arbeitet er im Garten.	In the holidays he works in the garden.

sagen, was andere Leute machen

Was machen Rolf und Eleni?	What do Rolf and Eleni do?
Was macht ihr?	What do you do?
Sie sammeln Briefmarken.	They collect stamps.
Wir gehen in die Stadt.	We go into town.
Sie spielen Fußball.	They play football.

8 Regen oder Sonnenschein?

Hier lernst du ...

das Wetter zu beschreiben

das Klima in anderen Ländern zu beschreiben

Feste aller Welt zu beschreiben

1 ▭ Wetterwoche!

Eine Woche lang macht die Klasse 9A dreimal am Tag eine Wetterkontrolle. Sieh dir die Tabelle an und hör gut zu. Welcher Tag ist das?
Beispiel
1 Freitag

2 Noch etwas!

Lies die Fragen und Antworten unten.
Welche Antwort passt zu welcher Frage?
Beispiel
1 d

Wie ist das Wetter…
1 Um acht Uhr am Montag?
2 Um elf Uhr am Dienstag?
3 Um fünfzehn Uhr am Mittwoch?
4 Um acht Uhr am Donnerstag?
5 Um fünfzehn Uhr am Freitag?

a Es regnet und es ist windig.
b Es ist sonnig und heiß.
c Es ist kalt und neblig.
d Es hagelt.
e Es blitzt und donnert.

3 Wie ist das Wetter?

Wähl einen Tag und eine Uhrzeit aus der Tabelle aus und sag es deinem Partner/deiner Partnerin. Er/sie sagt das Wetter.
Beispiel

A Montag, acht Uhr.

B Es hagelt. Die Temperatur ist minus zwei Grad.

	08.00	11.00	15.00
Mo	-2°	0°	1°
Di	2°	3°	6°
Mi	7°	10°	8°
Do	12°	14°	11°
Fr	15°	20°	25°

4 Wie oft regnet es?

Welche Sätze haben dieselbe Bedeutung? Bilde Paare.

Beispiel

Es ist meistens heiß. – Gewöhnlich ist es heiß.

Manchmal ist es heiß.	Ab und zu regnet es.
Es regnet manchmal.	Es ist ab und zu heiß.
Normalerweise friert es.	Es ist an vielen Tagen sonnig.
Es ist meistens heiß.	Es friert gewöhnlich.
Es regnet häufig.	Gewöhnlich ist es heiß.
An zahlreichen Tagen ist es sonnig.	Oft regnet es.

5 Die Jahreszeiten, sie gehen vorüber!

Lies die Texte und wähl vier Symbole für jede Jahreszeit aus.

Beispiel

Frühling – 12, 3, …

Im Frühling ist es meistens warm. Es ist oft sonnig, aber es regnet und an zahlreichen Tagen ist es bewölkt.

Im Sommer ist es oft (aber nicht immer!) heiß. Es ist oft sonnig, aber es regnet auch ab und zu und es ist manchmal bewölkt.

Im Herbst ist es meistens kühl und es ist oft ziemlich neblig. Es regnet mehr als im Sommer und im Herbst friert es manchmal.

Im Winter ist es ziemlich kalt. An den meisten Tagen friert es und es schneit auch ziemlich oft. Ab und zu hagelt es und manchmal blitzt und donnert es.

6 ▭ Die beste Jahreszeit für mich

Hör gut zu. Welche ist die beste Jahreszeit für die Schüler in der Klasse 9A?

Beispiel

1 der Winter

7 Jetzt bist du dran

Sag einen Satz über eine Jahreszeit. Dein/e Partner/in muss raten, welche Jahreszeit das ist!

Beispiel

A Es ist meistens heiß und sonnig.   **B** Der Sommer.

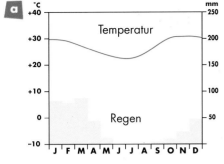

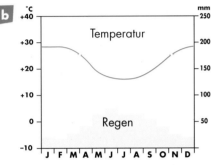

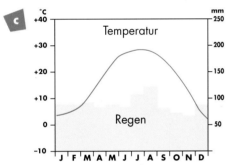

1 Deutsch überall auf der Welt

Man spricht nicht nur Deutsch in Deutschland, Österreich und der Schweiz. Jugendliche aus anderen deutschsprachigen Ländern beschreiben ihr Klima. Lies die Texte. Welches Land passt zu welchem Balkendiagramm?

Beispiel

Namibia – a? Oder b? Oder … ?

Wo ich wohne, in Windhoek in Namibia, ist es meistens sehr heiß. Die heißeste Jahreszeit ist der Winter – da haben wir Temperaturen bis zu 30°. Im Winter regnet es mehr als zu den anderen Jahreszeiten. Der Winter ist die feuchteste Jahreszeit. Für mich ist der Sommer besser – dann ist es ein bisschen kühler, mit Temperaturen von ungefähr 20°. Dies ist auch die trockenste Jahreszeit.

Ich komme aus dem Barossatal in Südaustralien. Dort ist die kühlste Jahreszeit der Sommer, mit Temperaturen von höchstens 17°! Der meiste Regen kommt auch im Frühling und im Sommer, aber im Frühling und im Herbst ist es heißer als im Sommer – die höchste Temperatur beträgt oft bis zu 28°! Für mich ist der Winter die beste Jahreszeit. Dies ist die heißeste Jahreszeit und auch die trockenste.

In Kinzers, meinem Dorf in Pennsylvania in den USA, haben wir ein so genanntes ‚Kontinentalklima'. Der Winter ist die kälteste Jahreszeit und für mich sind der Frühling und der Herbst besser als der Winter – da ist es wärmer, aber immer noch ziemlich feucht. Die feuchteste Jahreszeit ist der Sommer und der Sommer ist auch die heißeste Jahreszeit. Da beträgt die Temperatur oft bis zu 28°.

2 Welches Land ist das?

Jetzt lies die Sätze. Welcher Satz beschreibt welches Land?

Beispiel

1 Australien

1 Die trockenste Jahreszeit ist der Winter.

2 Die heißeste Jahreszeit ist der Sommer.

3 Im Frühling ist es wärmer als im Winter.

4 Die trockenste Jahreszeit ist der Sommer.

5 Im Frühling ist es feuchter als im Winter.

6 Im Sommer ist es trockener als im Herbst.

1 Eberhard

2 Bettina

3 Benno

3 Woher kommen sie?

Jetzt sprechen Jugendliche über ihr Klima. Hör gut zu und lies die Texte oben. Woher kommen sie jeweils?

Beispiel

1 Australien? Oder den USA? Oder … ?

Lerntipp

kalt	➤ kälter (als)	➤ der/die/das kälteste
heiß	➤ heißer (als)	➤ der/die/das heißeste
gut	➤ besser (als)	➤ der/die/das beste
viel	➤ mehr (als)	➤ der/die/das meiste

4 Das Klima in Deutschland, Österreich und der Schweiz

Hier sind zehn Wörter falsch. Lies den Text,
sieh dir die Balkendiagramme an und schreib es richtig auf.
Beispiel
In Deutschland, Österreich und der Schweiz ist das Klima ‚typisch
europäisch‘. Die <u>kälteste</u> Jahreszeit ist der Winter …

In Deutschland, Österreich und der Schweiz ist das Klima ‚typisch
europäisch‘. In allen drei Ländern ist die heißeste Jahreszeit der Winter
und dann friert oder schneit es oft. Im Frühling ist es auch überall ein
bisschen kälter als im Winter und auch ein bisschen trockener.
Die kälteste Jahreszeit ist der Sommer – dann beträgt die Temperatur in
Deutschland 21° bis 23°, in Österreich 24° bis 25° und in der Schweiz
23° bis 25°. Der Sommer ist auch die trockenste Jahreszeit – dann
regnet es in allen drei Ländern ziemlich viel. Im Herbst ist es wärmer als
im Sommer, aber dafür etwas feuchter. Das Klima in Österreich ist
meistens trockener als in Deutschland, besonders im Sommer, aber dort
ist es auch im Sommer meistens ein bisschen kühler. Die Schweiz ist das
trockenste Land von diesen drei Ländern – dort bekommt man im
Sommer mehr als 120 mm Regen pro Monat!

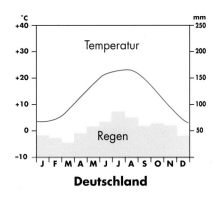

Deutschland

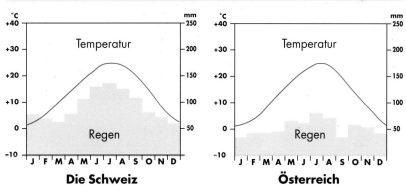

Die Schweiz   **Österreich**

5 Traumurlaub!

Du hast DM 3.000 gewonnen und du möchtest in den Urlaub fahren –
aber wohin und wann? Wähl einen Ort und schreib in dein Heft:
  a Wohin du fahren möchtest;
  b wann du dorthin fahren möchtest;
  c wie das Wetter dort zu dieser Jahreszeit ist.
Beispiel
Griechenland im August. Der Sommer ist die heißeste und auch die
trockenste Jahreszeit. Dann beträgt die Temperatur oft bis zu 30°. Die
Sonne scheint fast jeden Tag und es regnet nur ein bisschen.

1 📼 Es wird bei jedem Wetter gefeiert ...

Man feiert zu allen Jahreszeiten in Deutschland. Jugendliche aus der Klasse 9A stellen ihre Lieblingsfeste vor. Hör gut zu.
Welches Fest passt zu welchem Bild?
Beispiel
1 Nikolaus

1

2

3

4

5

6

Ein Karnevalszug • Nikolaus • Heiligabend • Pfingsten • Eid ul Fitr • Am Ostersonntagmorgen

2 📼 Noch etwas!

Hör nochmal zu. Wann finden die Feste statt?
Beispiel
1 Am 6. Dezember.

Am 6. Dezember. • Im Februar. • Am 24. Dezember. • Im Mai oder Juni.

Am Ende des neunten Monats des moslemischen Jahres. • Im März oder April.

3 Hast du ein gutes Gedächtnis?

Schau nicht ins Buch. Dein/e Partner/in sagt ein Fest.
Du sagst, wann es stattfindet. Dann tauscht die Rollen.
Beispiel

A Nikolaus.

B Ääh ... im Februar.

A Falsch! Jetzt bin ich dran!

4 ... und es wird überall auf der Welt gefeiert!

Deutschsprachige Jugendliche aus aller Welt beschreiben ein Fest bei ihnen.
Lies die Texte und beantworte die Fragen mit ‚richtig' oder ‚falsch'.
Beispiel
1 falsch

Am Rosenmontag feiern wir kostümiert auf der Straße und es erstrecken sich auch Karnevalszüge über die ganze Stadt. Die kleinen Kinder gehen von Haus zu Haus und singen das Lied ‚Ich bin ein kleiner König' um Süßigkeiten oder etwas Kleingeld zu bekommen.

Ulrike Schmidt
(Zürich, die Schweiz.)

Unser Weihnachtsfest ist nicht gerade wie das Weihnachtsfest in Deutschland, da es in der Mitte des Sommers ist!

Wir essen Truthahn und geben und bekommen Karten mit Schnee darauf – aber die Temperatur beträgt oft bis zu 28° und wir sitzen meistens draußen oder sogar am Strand!

Beatrice Meier
(Barossatal, Australien.)

In Bayern gibt es das Oktoberfest – aber das gibt es auch in Namibia! Unser Oktoberfest ist natürlich nicht im Herbst, sondern im Frühling –

aber da gibt es viele Ähnlichkeiten. Wir trinken viel Bier aus Bierkrügen und feiern fast ununterbrochen in Bierkellern!

Rüdiger Henker
(Windhoek, Namibia.)

Zu Pfingsten habe ich eine Woche frei. In meiner Stadt gibt es eine sogenannte ‚Pfingstkirmes'. Dort gibt es Buden mit allerlei Geschenken – Handarbeiten aus Holz, Metall oder Textilien – und unzählige Karussells und Essbuden. Man hört überall laut die Musik der verschiedenen Karussells.

Tobias Birtelsbeck
(Knittelfeld, Österreich.)

Bei uns in Pennsylvania feiert man Ende November Thanksgiving. An diesem Tag arbeiten wir nicht und die ganze Familie kommt gewöhnlich zusammen – oft reist man Tausende von Kilometern um bei seinen Verwandten zu sein. Am Abend gibt es ein großes Essen mit Truthahn und Preiselbeersoße.

Karl Jansen
(King of Prussia, Pennsylvania.)

Richtig oder falsch?

1 In Australien feiert man im Winter Weihnachten.

2 Das Oktoberfest in Namibia findet im Herbst statt.

3 In Australien gibt man zu Weihnachten Karten mit Schnee darauf.

4 In Pennsylvania feiert man Ende Dezember Thanksgiving.

5 Zum Oktoberfest trinkt man gewöhnlich Wein und feiert zu Hause.

6 Auf der Pfingstkirmes gibt es Karussells, Essbuden und Buden mit Geschenken.

7 Am Rosenmontag gehen die kleinen Kinder von Haus zu Haus und singen.

8 Auf der Pfingstkirmes gibt es gewöhnlich keine Musik.

5 Noch etwas!

Schreib die falschen Sätze richtig auf!
Beispiel
1 In Australien feiert man im <u>Sommer</u> Weihnachten.

6 Und bei dir?

Wie feiert man bei dir? Schreib ein paar Sätze.
Beispiel
Hier in Derbyshire schmückt man im Mai die Brunnen mit Blumen ...

> **Achtung!**
> Wenn du andere Wörter brauchst, schlag sie im Wörterbuch nach!

Du hast die Wahl

1 Wetterkarte!

Mach eine Wetterkarte von Großbritannien und Irland. Trag mindestens zehn Städte in die Karte ein und bilde Sätze mit ihnen.

Beispiel

In London ist es sonnig. Die Temperatur beträgt 22°.

2 Traumfest!

Erfinde dein eigenes Fest! Wann findet es statt und wie feiert man? Schreib ein paar Sätze und zeichne ein Bild. Hier sind einige Vorschläge:
Kindertag, Elvistag, Fernsehtag, Schokoladentag …

Beispiel

Kindertag

Am Kindertag bekommen die Kinder große Geschenke. Die Eltern machen die Hausaufgaben …

3 Klassenkampf

Hör mal der achten Episode der Serie zu: ‚Sezen, Dominik, Anna, Martin und ein Kino …'

4 Aussprache

Hör gut zu und sprich die Wörter nach:

wähl, wärmer, während, bäckt, färbt, Städte, Äpfel, Plätzchen, kälter, fünf, über, kühl, kühler, geschmückt, Frühling, Düfte, Süßigkeit, schmücken.

5 Zungenbrecher

Hör gut zu und sprich nach:

a   Im Frühling ist es um fünfzehn Uhr kühl, aber um fünf Uhr ist es noch kühler.

b   Hänsel bäckt Plätzchen, während Mäcki Äpfel wärmt und leckeres Gebäck bäckt.

c   In der Küche riecht es nach Düften von Süßigkeiten und man schmückt und bäckt und schmeckt die Kuchen.

6 Das Gedicht der kleinen Könige

Hör zu und lerne das Gedicht auswendig.

Ich bin ein kleiner König
Gib mir nicht zu wenig
Gib mir nicht zu viel
Sonst komm' ich
Mit dem Besenstiel!

Zusammenfassung

Grammatik

Komparativ und Superlativ

kalt	➤	kälter (als)	➤	der/die/das kälteste
heiß	➤	heißer (als)	➤	der/die/das heißeste
gut	➤	besser (als)	➤	der/die/das beste
viel	➤	mehr (als)	➤	der/die/das meiste

Jetzt kannst du ...

das Wetter beschreiben

Es ist neblig.	It's foggy.
Es ist sonnig.	It's sunny.
Es ist windig.	It's windy.
Es friert.	It's freezing.
Es hagelt.	It's hailing.
Es ist bewölkt.	It's cloudy.
Es blitzt und donnert.	There's lightning and thunder.
Es schneit.	It's snowing.
Es regnet.	It's raining.
Es ist heiß.	It's hot.
Es ist warm.	It's warm.
Es ist kühl.	It's cool.
Es ist kalt.	It's cold.
Die Temperatur beträgt ... Grad.	The temperature is ... degrees.
Die Temperatur ist ...	The temperature is ...

das Klima in anderen Ländern beschreiben

In Namibia ist es meistens sehr heiß.	In Namibia it is usually very hot.
Im Barossatal ist die heißeste Jahreszeit der Winter.	The hottest season in the Barossa Valley is the winter.
In Deutschland, Österreich und der Schweiz ist das Klima typisch europäisch.	In Germany, Austria and Switzerland, the climate is typically European.

Feste aller Welt beschreiben

Das Oktoberfest in Namibia findet im Frühling statt.	The October Festival in Namibia takes place in the spring.
In Pennsylvania feiert man Ende November Thanksgiving.	In Pennsylvania they celebrate Thanksgiving at the end of November.
In Australien ist das Weihnachtsfest in der Mitte des Sommers.	In Australia, the Christmas celebrations are in the middle of the summer.

Lesepause

Wolkenbilder

Wolken bringen nicht immer schlechtes Wetter!
Sieh dir die Wolkenbilder an und lies die Texte.
Welche Wolken versprechen gutes Wetter und welche bringen Regen?

CIRRUS (FEDERWOLKE)

Fein und schleierartig und schwebt wie eine Feder am
Himmel. Bei nur wenigen Cirruswolken bleibt das
Wetter gewöhnlich schön. Bei einer größeren Anzahl
von ihnen wird das Wetter aber oft schlechter.

CIRROCUMULUS (FEINE SCHÄFCHENWOLKE)

Klein, fein, flockig, hell und schattenlos. Diese Wolken
sind meistens ein ‚Vorbote' von schlechtem Wetter.
Sie bilden sich ab und zu vor Gewittern.

CIRROSTRATUS (HOHE SCHLEIERWOLKE)

Glatt, weißlich-milchig und bedeckt den ganzen
Himmel. Diese Wolken schaffen oft eine ‚Halo' um die
Sonne und meistens folgt ihnen schlechtes oder
regnerisches Wetter.

ALTOCUMULUS (GROBE SCHÄFCHENWOLKE)

Groß, dicht stehend und regelmäßig angeordnet. Diese
Wolken begleiten oft gutes Wetter, aber wenn sie am
Morgen zu sehen sind, folgen oft am Nachmittag Schauer.

ALTOSTRATUS (HOHE SCHICHTWOLKE)

Einförmig, konturlos, eintönig grau und bedeckt oft den
ganzen Himmel. Wenn die Sonne sichtbar bleibt, bleibt
das Wetter trocken, aber wenn Wolken die Sonne
verhüllen, kommt Regen bald darauf.

NIMBOSTRATUS (REGENWOLKE)

Schwer, eintönig grau, dunkel, hält die Sonne ab.
Im Sommer bringt diese Wolke Dauerregen und im
Winter bringt sie meistens anhaltenden Schneefall.

STRATUS (TIEFE SCHICHTWOLKE)

Strukturlos, bedeckt den ganzen Himmel, durchgehend
grau. Im Sommer folgt diesen Wolken oft Sprühregen.
Im Herbst bringen sie oft stabiles Wetter und im Winter
bringen sie kaltes Wetter.

STRATOCUMULUS
(HAUFENSCHICHTWOLKE)

Groß, grob, rundlich, ballenförmig, weißgrau, teilweise
dunkel gefleckt, bedeckt den ganzen Himmel.
Stratocumuluswolken weisen oft auf stabiles Wetter hin,
aber manchmal bringen sie auch Regenschauer.

CUMULUS (HAUFENWOLKE)

Dicht, unterseits flach und weißgrau, oberseits weiß und
oft blumenkohlförmig, typische ,Sommerwolken'. Bei
Cumuluswolken bleibt das Wetter gewöhnlich schön,
aber wenn sie ständig aufquellen, folgen oft Gewitter.

CUMULONIMBUS
(GEWITTER-/REGENWOLKE)

Dicht, riesig, sehr hoch reichend, unterseits dunkelgrau,
oberseits weißgrau. Diese Wolken bringen oft Gewitter
und manchmal auch Hagel.

9 Mmm – lecker!

Hier lernst du ...

über Mahlzeiten in Deutschland zu sprechen

etwas in einem Schnellimbiss zu bestellen

zu sagen, was du am liebsten isst

über gesundes Essen zu sprechen

1 ▭ Bist du ein typischer Frühstücksesser?

Was isst du zum Frühstück? Andrew Sinclair und seine Freunde aus der Klasse 9A sprechen darüber.
Hör gut zu und sieh dir das Bild an. In welcher Reihenfolge hörst du diese Lebensmittel?

Beispiel

1 o, ...

Saft · Mineralwasser · Kaffee · Aufschnitt · gar nichts · Brötchen · Roggenbrot · Tee · Milch · Käse · Toast · Marmelade · Müsli · Cornflakes · Eier mit Speck · gekochtes Ei

2 ▭ Noch etwas!

Wer isst und trinkt was gern zum Frühstück?
Hör nochmal zu und mach eine Liste für jede Person.

Beispiel

Andrew

Isst gern: Eier mit Speck, Toast mit Butter und Marmelade
Trinkt gern: eine Tasse Tee

Andrew	Sebastian
Anna	Sezen
Anja	Martin

Lerntipp

Starkes Verb – essen

ich	esse
du	**isst**
er/sie/es	**isst**
wir	essen
ihr	**esst**
Sie	essen
sie	essen

3 Logikspiel

Jetzt sieh dir diese Fotos an und folge den Spuren.
Wer isst welches Frühstück?
Beispiel
Franz – 3

Franz

Siglinde

Britta

Moritz

Franz isst Brot, aber ohne Butter.
Franz trinkt Tee.
Franz isst Aufschnitt.

Siglinde isst ein Brötchen.
Siglinde isst ein gekochtes Ei.
Siglinde isst Käse.

Britta isst Aufschnitt.
Britta trinkt Kaffee.
Britta isst Toast und Butter.

Moritz isst Cornflakes mit Milch.
Moritz trinkt gar nichts.
Moritz isst keinen Käse.

4 Noch etwas!

Jetzt hör gut zu. Alle beschreiben ihr Frühstück. Hast du recht?

5 Jetzt bist du dran!

Was isst du gern zum Frühstück? Zeichne und beschrifte es!
Beispiel
Ich esse gern Cornflakes ...

6 Und dein/e Partner/in?

Jetzt sieh dir dein Frühstück an und vergleiche es mit dem Frühstück
deines Partners/deiner Partnerin. Was haben die beiden Frühstücke
gemeinsam? Mach eine Liste.
Beispiel

A Ich esse gern Eier mit Speck.

B Ich auch! Und ich esse gern Cornflakes ...

A Ich nicht. Aber ich esse ...

Lerntipp

Gern

Ich esse **gern** Eier mit Speck.
Ich trinke **gern** Kaffee.

1 ▭ Zwei Familien!

Hör gut zu. Andrew Sinclair und Martins Familie essen zu Mittag.
Sebastians Familie auch. Was essen sie? Was trinken sie?
Sieh dir die Fotos an und mach zwei Listen.

Beispiel

Martins Familie (Dialog 1): 5, …

Sebastians Famile (Dialog 2): …

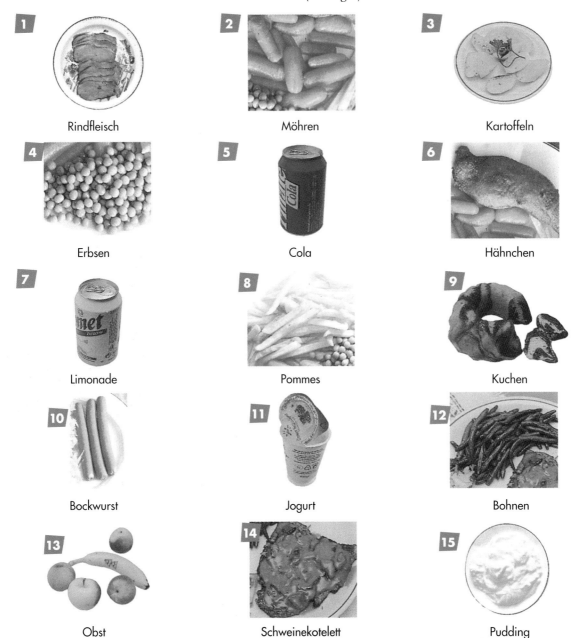

1 Rindfleisch

2 Möhren

3 Kartoffeln

4 Erbsen

5 Cola

6 Hähnchen

7 Limonade

8 Pommes

9 Kuchen

10 Bockwurst

11 Jogurt

12 Bohnen

13 Obst

14 Schweinekotelett

15 Pudding

Lerntipp

Lieber

Ich esse **lieber** Hähnchen.
Ich nehme **lieber** die Möhren.

2 ▭ Noch etwas!

Hör nochmal zu. Welche Lebensmittel hörst du mehr als einmal?
Mach eine Liste.

Beispiel

Dialog 1: 2, …

Dialog 2: …

3 ▭ Das Abendessen

Hör gut zu und sieh dir den Text und die Kästchen an.
Für jede Lücke wähl jeweils a, b oder c (usw.).
Beispiel
Dialog 1: 1b, …
Dialog 2: …

a das Roggenbrot
b das Vollkornbrot
c ein Brötchen

a Nein, danke.
b Ja, bitte.

a Käse
b Aufschnitt
c Schinken

A Reich mir bitte **1**.

B Hier, bitte schön.

C Möchtest du die Butter?

A **2**. Reich mir bitte den **3**.

C Ja, hier.

D Noch ein bisschen **4**?

B **5**.

A Reich mir bitte **6**.

D Hier, bitte schön. Was trinkt ihr?

A Für mich ein Glas **7**, bitte.

B Und für mich ein Glas **8**.

a Nein, danke,
das reicht.
b Nein, danke, ich
bin satt.
c Nur noch ein
Stückchen.
d Ja, bitte – das ist
lecker!

a die Tomaten
b die Gurken
c den grünen Salat
d den Nudelsalat

a Cola
b Limonade
c Saft

4 Jetzt bist du dran!

Jetzt arbeitet zu viert und lest den Dialog vor. Wenn ihr eine Lücke
findet, füllt sie mit einem Wort aus dem passenden Kästchen aus.
Beispiel

A Reich mir bitte das Roggenbrot.

B Hier, bitte schön.   usw.

5 Mein ideales Menü

Schreib dein ideales Menü für das Mittagessen oder das Abendessen.
Beispiel
Mittagesssen: Rindfleisch, Kartoffeln, Erbsen …

1 Im Schnellimbiss

Sieh dir die Speisekarte an und hör gut zu.
Wer bekommt welches Tablett?
Beispiel
Kunde 1: d

	DM
Bratwurst	3.00
Bockwurst	2.70
Currywurst	3.50
Frikadellen	2.50
Schaschlik	4.00
Pommes frites	2.00
½ Hähnchen	5.50
Hamburger	4.00
Senf, Majonäse, Ketschup	Gratis

Eis

Eissorten:	Vanille	1.50
	Erdbeer	
	Schokolade	
	Mokka	

Getränke

Limonade	2.70
Cola	2.90
Apfelsaft	2.50
Orangensaft	2.50

2 Noch etwas!

Hör nochmal zu. Macht die Verkäuferin Fehler? Für jedes Tablett schreib
'richtig' oder 'falsch' auf. Wenn falsch, schreib den richtigen Preis auf!
Beispiel
1 Falsch. Preis: DM 7.

3 Rechnungen

Du bist Verkäufer/in im Schnellimbiss. Benutz die Notizen unten und
schreib Rechnungen für deine Kunden. Vergiss den Gesamtpreis nicht!
Beispiel

> 1 × Bock; 1 × Van. Eis; 3 × Cola

Einmal Bockwurst	2.70
Einmal Vanilleeis	1.50
Dreimal Cola	8.70
	12.90

1
2 × Hnchn
2 × P.fr
1 × Schoko. Eis

2
3 × Frik.
1 × P.fr.
2 × O. Saft

3
2 × Scha.
2 × Hamb.
1 × Erd. Eis

4
1 × Curryw.
2 × P.fr.
2 × Cola

Lerntipp

Die ‚Sie-Form' des Verbs
Was möchten **Sie**?
Haben **Sie** … ?
Möchten **Sie** … ?

Was darf es sein?
Kann ich Ihnen helfen?
Was möchten Sie, bitte?

einmal
zweimal
dreimal

Bratwurst
Bockwurst
Currywurst
Hähnchen
Hamburger

Mit Ketschup.
Mit Majonäse.
Ohne alles.

Sonst noch etwas?
Ist das alles?

Ja/Nein.

Vanille
Erdbeer
Schokolade
Mokka

Limonade
Cola
Apfelsaft
Orangensaft

33 Mark 90 usw.
(Preisliste anschauen
und Preis selber
ausrechnen!)

4 Theaterstück!

Hör zu und sprich nach.

A Was darf es sein?

B Dreimal Hähnchen und zweimal Pommes, bitte.

A Mit Ketschup oder Majonäse?

B Mit Majonäse.

A Sonst noch etwas?

B Ja. Welche Eissorten haben Sie?

A Wir haben Vanille, Erdbeer, Schokolade und Mokka.

B Zweimal Erdbeer, bitte.

A Und möchten Sie dazu etwas trinken?

B Ja, bitte. Einmal Cola, bitte.

A Also, das macht zusammen 33 Mark 90.

B Bitte schön.

A Danke schön.

5 Jetzt bist du dran!

Wähl Wörter aus den Kästchen und mach neue Dialoge. Vergiss nicht! Du musst den Preis ausrechnen!
Beispiel

A Was möchten Sie, bitte?

B Zweimal Schaschlik und einmal Hähnchen, bitte.

6 Wer isst was?

Kannst du einen Imbiss für diese Leute finden?
Beispiel
Ahmed: Pommes/Eis

1 Ahmed ist Vegetarier.
2 Karsten macht eine Diät.
3 Torsten hat nur eine Mark neunzig.
4 Uli darf kein Fett essen.
5 Max isst kein Brot.

Andrew

 Anna

Sezen

Martin

Leben um zu essen ...

1 Was essen sie gern?

Was essen Andrew Sinclair und Schüler aus der Klasse 9A gern?
Und am liebsten? Hör gut zu und mach zwei Listen für jede Person – eine
Liste für ‚gern' und eine Liste für ‚am liebsten'.

Beispiel

	Gern	Am liebsten
Andrew	11, 2, 3	8 ...

Sauerkraut

Kartoffelchips

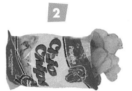
Schokolade

Nüsse

Bananen

Honig

Knoblauch

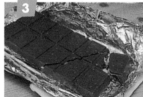
Bonbons

Tomatensuppe

Zwiebeln

Hamburger

Kekse

2 Noch etwas!

Sieh dir deine Liste an und lies die Sätze. Wer ist wer?
Beispiel
1 Anna

1 Sie isst gern Tomatensuppe und Sauerkraut und sie isst am liebsten
   Hamburger.
2 Er isst gern Schokolade mit Zwiebeln und am liebsten isst er
   Kartoffelchips.
3 Er isst gern Hamburger und Schokolade. Am liebsten isst er Bonbons.
4 Sie isst gern Bananen und sie isst am liebsten Nüsse.

3 Jetzt bist du dran!

Und du – was isst du gern? Und was isst du am liebsten?
Schreib es auf einen Zettel (8 Sachen insgesamt). Dann tausch den Zettel
mit jemandem aus und mach Interviews in der ganzen Klasse. Wer ist wer?
Beispiel
Ich esse gern Schokolade, Zwiebeln, Pilze ...
Ich esse am liebsten Cornflakes.

Lerntipp

Am liebsten
Ich esse **am liebsten** Chips.
Chips esse ich **am liebsten**.

... oder essen um zu leben?

4 Nur 5 Punkte pro Tag! – KLARO-Magazin

Diese Tabelle haben Dominik und seine Schwester in KLARO-Magazin gefunden. Bei diesem Programm darf man nur fünf Punkte pro Tag haben. Sieh dir die Teller an. Wie viele Punkte bekommen sie jeweils?

3 Punkte	2 Punkte	1 Punkt	0 Punkte
Pommes	Steak	Fisch	Möhren
Kartoffelchips	Käse	Jogurt	Zwiebeln
Wurst	Schinken	Eier	Orangen
Kekse	Hähnchen	Bananen	Pilze
Nüsse	Rindfleisch	Cornflakes	Gurken
Schokolade	Müsli	Brot/Brötchen	grüner Salat
Bonbons	Kartoffeln	Bohnen	Sauerkraut
Hamburger	Speck	Suppe	Äpfel
Kuchen		Nudelsalat	Tomaten
Aufschnitt		Erbsen	

1 Dominiks Schwester   **2 Dominik**

5 Jetzt bist du dran!

Schreib dein eigenes ‚Fünf-Punkte-Menü' für Frühstück, Mittagessen und Abendessen.
Beispiel
Frühstück: Cornflakes
Mittagessen: ...

Wie viele Punkte bekommst du an einem typischen Tag?
Schreib dein normales Menü auf und rechne die Punkte aus!
Schreib ein ‚Albtraummenü'. Wie viele Punkte bekommt es?

Du hast die Wahl

1 Igitt!

Martin isst gern Schokolade mit Zwiebeln – aber was findest du furchtbar? Zeichne fünf Kombinationen und beschrifte sie. Kleb sie auch an die Wand und mach eine Ausstellung!

Beispiel

Fisch mit Schokolade; Steak mit Zucker; Mokkaeis mit Senf …

2 Berühmte Besucher!

Eine berühmte Persönlichkeit kommt zu dir zu Besuch und du musst etwas zu essen für ihn oder sie vorbereiten. Schreib ein Menü für ihn oder sie – es könnte Folgendes enthalten:

Getränke
Suppe
Salat
Gemüse
Fleisch (wenn er oder sie Fleisch isst …)
Nachtisch

Beispiel

MENÜ FÜR BUGS BUNNY

Karottensaft

Karottensuppe

Karottensalat

gekochte Karotten

Karottenkuchen

3 Fünf-Punkte-Umfrage!

Sieh dir das ‚Fünf-Punkte-Menü' auf Seite 99 an. Mach eine Umfrage in der Klasse: Was essen deine Klassenkamerad/innen an einem normalen Tag? Wie viele Punkte bekommen sie jeweils? Rechne sie zusammen und mach ein Balkendiagramm.

Beispiel

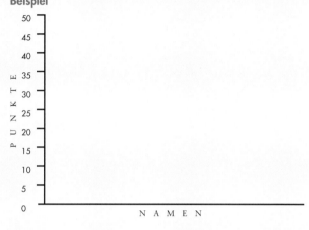

4 🔊 Klassenkampf

Hör mal der neunten Episode der Serie zu: ‚Acht Wochen ohne dich …'

5 🔊 Zungenbrecher

Hör zu und sprich nach:

a Zeichnet Zacharias Zander zwei Zwiebeln? Er zeichnet zwar Zwiebeln, aber ohne Zweifel sind zwanzig zusammen auf dem Zettel!

b Zweimal Zwiebelsaft ohne Zucker und zwölfmal Zwiebelsaft mit Zucker, bitte.

6 🔊 Frühstück im Dschungel

Hör zu. Die Tiere im Dschungel sind am Frühstückstisch. Was isst das Krokodil?

Zusammenfassung

Grammatik

Starkes Verb – essen	
ich	esse
du	**isst**
er/sie/es	**isst**
wir	essen
ihr	**esst**
Sie	essen
sie	essen

Gern/lieber/am liebsten

Ich esse **gern** Schokolade.

Ich esse **lieber** Bonbons.

Ich esse **am liebsten** Zwiebeln.

Am liebsten esse ich Zwiebeln.

Jetzt kannst du . . .

über Mahlzeiten in Deutschland sprechen

Was nimmst du zum Frühstück/Mittagessen/Abendessen?	What do you have for breakfast/lunch/dinner?
Ich esse ein gekochtes Ei und ich trinke eine Tasse Kaffee.	I eat a boiled egg and I drink a cup of coffee.
Ich esse Rindfleisch mit Kartoffeln und Bohnen.	I eat beef with potatoes and beans.
Ich esse Brötchen mit Aufschnitt.	I eat bread rolls with salami.
Reich mir bitte die Butter.	Pass the butter, please.
Hier, bitte schön.	Here you are.
Noch etwas Hähnchen?	More chicken?
Nein, danke, das reicht.	No thanks, that's enough.
Nein, danke, ich bin satt.	No thanks, I'm full.
Nur noch ein Stückchen.	Just a little bit.
Ja, bitte – das ist lecker!	Yes please – it's delicious!

etwas in einer Imbissstube bestellen

Kann ich Ihnen helfen?	Can I help you?
Dreimal Bratwurst, bitte.	Three sausages, please.
Mit Senf oder ohne?	With mustard or without?
Mit, bitte.	With, please.
Sonst noch etwas?	Anything else?
Das macht zehn Mark fünfzig.	That'll be ten Marks fifty.
Welche Eissorten haben Sie?	What kind of ice cream have you got?
Wir haben Vanille und Mokka.	We've got vanilla and mocha.

sagen, was du am liebsten isst

Ich esse gern Käse, aber ich esse lieber Pommes.	I like cheese but I prefer chips.
Am liebsten esse ich Schokolade.	I like chocolate most of all.

Lesepause

Zu dick? Oder vielleicht auch nicht?
Steffis Geschichte

Beim Fünf-Punkte-Menü kannst du zwar an Gewicht abnehmen – aber Achtung! Musst du wirklich abnehemen?! Lies Steffis Geschichte und wähl vier Weisheiten aus.

1 Steffi kann sich heute gar nicht leiden.

Igitt! Ich sehe aus wie ein Elefant!

Ich bin klein, dick und dumm.

2 Fast 50 Kilo!!!

3 Dann hört Steffi ihren Bruder Bastian vor der Tür.

Na los, Dicke – ich will rein!

Aber Kind! Das macht doch so dick!

4 Zum Frühstück isst Steffi ein Stück Brot mit Nutella ...

Sag ich doch! Dicke, oder?

5 Jetzt reicht es Steffi aber. Sie greift ihre Schultasche und knallt die Tür hinter sich zu.

6 Unterwegs zur Schule wird Steffi immer trauriger …

Ich bin verknallt in Michi aus der 9A, aber der steht voll auf Carola. Die ist ja schließlich dünn – aber ich … ich bin ein richtiger Fettkloß …

7 Dann hört Steffi eine Stimme …

Hallo, Steffi! Super Wetter heute, stimmt's?

Michi!!!!!!

J-ja.

8

Sag mal … äähh hast du nicht Lust heute mit mir ins Eiscafé zu gehen?

Eis? Aber das geht doch nicht. Ich muss doch abnehmen.

Du??? Du spinnst doch! Also dann heute Nachmittag um drei!

9 Später im Eiscafé erblickt Steffi sich im Spiegel hinter dem Schalter …

Mensch! Ich bin ja richtig hübsch! Und mein Bruder – der ist doch 'ne doofe Nervensäge!

Weisheiten

1 Wenn du dich selbst magst, brauchst du deinen Ärger nicht zu ,essen'!
2 Steffi ist wirklich dick und sollte weniger essen.
3 Viele Models sind unnatürlich dünn. Manche von ihnen sind krank und leiden an Magersucht.
4 Nur Leute, die sehr dünn sind, können gesund sein.
5 Denkst du, dass du zu dick bist? Also, frag den Arzt, was du wiegen solltest!
6 Es ist nicht wichtig, was wir wiegen – solange wir uns selbst mögen und gesund sind!
7 Eine Menge Firmen machen mit dem ,Schlankheitswahn' Millionenumsätze … und genauso viele mit ,Junk Food'!

10 Kann ich Ihnen helfen?

Hier lernst du ...

Was kostet das Buch?

Vierundzwanzig Mark.

über Geld und Preise

Haben Sie Ohrringe?

Waren zu kaufen

Was kostet das T-Shirt?

Für ein T-Shirt! Nein ... das ist mir zu teuer.

Sechzig Mark.

Kommentare über Preise zu machen

Die Ohrringe finde ich wirklich toll.

Echt?

Ja.

Kommentare über Waren zu machen

1 Das Geld

Österreich
ein Schilling = hundert Groschen

Deutschland
eine Mark = hundert Pfennig

Schweiz
ein Franken = hundert Rappen

2 🔲 Wo bist du?

Hör gut zu. Du hörst sechs Dialoge. In jedem Dialog hörst du einen Preis oder eine Geldsumme. Findet der Dialog in Deutschland, Österreich oder in der Schweiz statt? Schreib das Land auf.
Beispiel
1 in der Schweiz

3 🔲 Noch etwas!

Sieh dir jetzt die neun Preise unten an und hör den sechs Dialogen noch einmal zu. Schreib die richtigen Geldsummen auf.
Beispiel
1 e

a ○ öS 26,00

b ○ DM 2,50

c ○ DM 25,00

d ○ öS 10,00

e ○ SF 0,90

f ○ öS 10,50

g ○ DM 0,90

h ○ SF 24,00

i ○ SF 2,40

4 Was kostet das?

Sieh dir die Poster im Schaufenster an.

SONDERANGEBOTE!!!
Kaugummis	DM 2,00
Farbfilm	DM 8,50
Stickers	DM 3,90
Ohrringe	DM 17,50
Hut	DM 21,50
Schal	DM 9,50
Sportschuhe	DM 60,00

SOMMERSCHLUSSVERKAUF!!!
Sonnenbrille	DM 17,50
Jacke	DM 32,00
Pralinen	DM 9,50
Tafel Schokolade	DM 3,90
Mütze	DM 8,50
Armbanduhr	DM 25,50
Kette	DM 11,90

bis zu 50% RABATT!!!
Plüschtier	DM 13,50
Fußballhemd	DM 33,00
Schreibpapier	DM 9,50
Buch	DM 17,50
Fotoheft	DM 8,50

5 ▭ Moment mal ...

Du hörst acht kurze Dialoge. Jedes Mal fragt jemand: ‚Was kostet das Buch?' oder ‚Was kostet die Jacke?' oder so etwas. Hör gut zu, sieh dir die Preislisten oben an und schreib die Preise auf.
Beispiel
1 DM 21,50

6 ▭ Wie war die Frage?

Du hörst jetzt acht Preise. Aber wie war die Frage? Sieh dir die Preislisten oben an. Hör gut zu und schreib jeweils den passenden Buchstaben auf.
Beispiel
1 c

a Was kostet die Sonnenbrille?
b Was kosten die Pralinen?
c Was kostet die Mütze?
d Was kostet das Buch?
e Was kosten die Ohrringe?
f Was kostet der Farbfilm?
g Was kostet der Schal?
h Was kostet das Fotoheft?

7 Das ist mir zu teuer!

Lies diesen Dialog. Dann mit einem Partner oder einer Partnerin improvisiere ähnliche Dialoge. Benutz die Bilder unten!

A Was kostet die Mütze?
B Sie kostet dreizehn Mark.
A Dreizehn Mark? Das ist mir zu teuer.
B Zwölf Mark?
A Es tut mir Leid. Ich habe nur zehn Mark dabei.
B Zehn Mark? ... OK. Das geht.
A Hier, bitte schön.
B Danke schön.

Lerntipp
Nominativ

Was kostet	der Schal?	Er	kostet	zehn Mark zwanzig.
	die Jacke?	Sie		achtzig Pfennig.
	das Buch?	Es		neun Franken fünfzig.
	das?	Das		neunzig Rappen.
				fünfzig Groschen.
Was kosten die Sportschuhe?		Sie kosten hundert Schilling.		

1 🔲 Herr Schmidt im Warenhaus Primavera

Hör gut zu und sieh dir die Bildergeschichte an.

1 Es ist ein schöner Dienstagmorgen im Juni. Herr Gotthard Schmidt arbeitet nicht mehr im Verkehrsamt. Er weiß nicht, was er heute machen soll. Er geht in der Fußgängerzone spazieren …

2 Zwei Minuten und vierundzwanzig Sekunden später steht Herr Schmidt in der Herrenartikelabteilung im Warenhaus Primavera …

3 Er läuft direkt ins Tiefgeschoss. Zwei Minuten und neunundzwanzig Sekunden später …

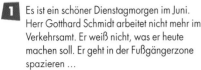

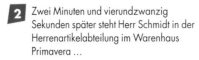

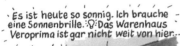

4

5 Herr Schmidt läuft direkt in den dritten Stock. Zwei Minuten und dreiunddreißig Sekunden später …

6

7 Zwei Minuten und vierundfünfzig Sekunden später im zweiten Stock …

9 Zwei Stunden später …

8

2 ▭ **Wer sagt was?**

Hör gut zu. Du hörst zuerst Eva, dann Stefan, dann Birgit, Jörg, Vanessa und Sergei. Wer sagt was? Schreib jeweils den richtigen Buchstaben auf.

Beispiel

Eva – b (Was kostet das Hockeyhemd?)

a. Ich nehme dieses Hockeyhemd.

b. Was kostet das Hockeyhemd?

c. Haben Sie Hockeyhemden?

d. Ich möchte ein Hockeyhemd.

e. Ich hätte gern ein Hockeyhemd.

f. Ich nehme diese Hockeyhemden.

3 **Kann ich Ihnen helfen?**

Lies die Sprechblasen und schreib einen Dialog. Übe den Dialog mit einem Partner oder einer Partnerin.

Beispiel

- Kann ich Ihnen helfen?
- Ich suche einen Ring für meine Schwester.
- Kann ich Ihnen helfen?
- Ich suche einen Ring für meine Schwester.
- Ich brauche auch Schreibpapier.
- Und ich möchte auch eine Musikkassette.
- Der Musikladen ist im dritten Stock.
- Gehen Sie in den zweiten Stock.
- Schreibpapier finden Sie im Erdgeschoss.

Im zweiten Stock …

- Der kostet auch fünfhundert Schilling. Aber wir haben diese Ringe hier. Sie kosten nur zweihundert Schilling.
- Was kostet dieser?
- Ja. Natürlich. Bitte schauen Sie mal hier.
- Das ist mir zu teuer. Was kostet dieser?
- Bitte schön. Zahlen Sie an der Kasse.
- Gut. Ich nehme diesen Ring.
- Dieser kostet fünfhundert Schilling.
- Haben Sie Ringe?

4 ▭ **Der Kunde**

Hör gut zu. Verkäufer und Kunden sprechen miteinander. Welche Launen haben sie? Benutz die Wörter unten.

Beispiel

1 **Verkäufer:** launisch
   Kunde: …

Launen
nett freundlich unfreundlich hilfsbereit launisch deprimiert tolerant nervös glücklich sympathisch

5 **Noch etwas!**

Mit deinem Partner oder Partnerin übe jetzt ihre Dialoge aus ‚Kann ich Ihnen helfen?'. Benutzt verschiedene Launen! Schlag andere Launen im Wörterbuch nach, wenn nötig.

Lerntipp

Akkusativ

Kann ich Ihnen helfen?

Haben Sie	einen Schal?
Ich brauche	eine Jacke.
Ich suche	ein Buch.
	Sportschuhe.
Ich möchte	diesen Schal.
Ich hätte gern	diese Jacke.
Ich nehme	dieses Buch.
	diese Sportschuhe.

1 ▭ Anna, Sezen, Martin und ein Hut

Samstagnachmittag. Das Wetter ist schön. Die Schule ist endlich aus.
Anna, Sezen und Martin treffen sich in der Stadtmitte um einkaufen zu
gehen. Martin will eine CD kaufen. Sezen sucht ein Geburtstagsgeschenk
für ihre Oma. Zuerst gehen sie aber ins Modegeschäft ‚Paris'. Anna will
sich neue Klamotten kaufen … Hör gut zu.

2 ▭ Und die Reaktion zu Hause?

Anna bringt ihre Einkäufe nach Hause. Wie ist die
Reaktion? Trag die Tabelle ins Deutschheft ein. Dann
hör gut zu. Bei einer positiven Reaktion schreibst du ✓
in die Tabelle. Bei einer negativen Reaktion schreibst
du ✗.
Beispiel

	Hut	Jacke	Ohrringe
Annas Vater	✗	✓	✗
Annas Mutter			
Annas Schwester			
Annas Bruder			
Annas Oma			
Annas Opa			

3 ▭ Noch etwas!

Hör noch einmal zu. Anna macht einen kleinen
‚Fehler', wenn sie mit ihrer Familie spricht. Aber
was? Lies die Geschichte oben noch einmal und dann
hör gut zu. Kannst du den ‚Fehler' finden?

4 Vor dem Skiladen

Sechs junge Leute stehen vor dem Skiladen in Landeck und machen Kommentare über die Waren und die Preise. Schreib die Kommentare in der richtigen Reihenfolge auf.

Beispiel

1 Ach, die Skibrille ist ganz toll. So eine Brille hätte ich gern.

2 …

Lerntipp
Akkusativ

Magst du Wie findest du	den Hut ihn	die Jacke sie	das T-Shirt es	die Ohrringe? sie?	
Ich mag Ich finde	den Hut ihn	die Jacke sie	das T-Shirt es	die Ohrringe. sie	toll.

5 Zahlen Sie bitte an der Kasse

Lies die Sprechblasen unten und mach einen Dialog. Du musst alle Sätze benutzen. Es gibt mehr als eine korrekte Reihenfolge.

Pass auf! Du brauchst mehr als diese acht Sätze um einen guten Dialog zu machen.

- Sie kostet DM 200.
- Zahlen Sie bitte an der Kasse.
- Ich hätte gern eine Skijacke.
- Ich suche auch einen Schal.
- Ich mag ihn nicht.
- Ich finde sie wirklich teuer.
- Nehmen Sie ihn?
- Kann ich Ihnen helfen?

Übe den Dialog mit einem Partner oder einer Partnerin und führe ihn auf.

1 📼 KLARO-Umfrage: Was für Kleider kaufst du?

Sieh dir den Artikel an und hör gut zu.

Mode spielt für mich überhaupt keine Rolle. Kleider kaufe ich eigentlich nicht oft. Diese Sachen waren alle ziemlich teuer. Meine Jeans und die Jacke sind Markenprodukte, keine billigen Kopien. Das finde ich wichtig.

MANU, 16 JAHRE

Ich trage Jeans, Skate-schuhe, ein T-Shirt. Ich kaufe oft sportliche Klamotten, weil sie so bequem sind. Ich kaufe sie, weil sie mir gefallen. Mode interessiert mich nicht. Das T-Shirt war ein Geschenk von meinem Onkel in den USA.

JAN, 14 JAHRE

Mode ist für mich ziemlich wichtig. Ich ändere meinen Stil ziemlich oft, je nach Laune. In Jeans, Wollpullover und Sportschuhen fühle ich mich sehr wohl. Und es gefällt mir sehr gut. Aber hier trage ich Sachen im Stil der 60er-Jahre: eine Schlaghose und einen schwarzen Rollkragenpulli. Manchmal kaufe ich Klamotten auf dem Trödelmarkt.

NICOLE, 15 JAHRE

Ich kaufe immer schwarze, weiße oder schwarzweiße Klamotten. Hier trage ich eine schwarz-weiße Jacke, eine schwarze Hose und schwarze Sportschuhe. Die Sachen sind bequem und gefallen mir. Ich ändere meinen Stil nicht oft. Mir ist es ziemlich egal, ob meine Kleider in sind oder nicht.

MAX, 15 JAHRE

2 📼 Eltern reden über ihre Kinder

Du hörst jetzt die Mutter oder den Vater von Nicole, Manu, Jan oder Max. Hör gut zu und schreib jeweils auf, wer spricht.

Beispiel

1   Das ist Nicoles Vater.

3 Stimmt das?

Korrigiere die Sätze, die nicht stimmen.
Beispiel
Manu
  a Manu interessiert sich sehr ➡ Manu interessiert sich
     für Mode.   nicht für Mode.

Manu
a Manu interessiert sich sehr für Mode.
b Für Manu spielt der Markenname eine wichtige Rolle.
c Klamotten kauft er regelmäßig.

Jan
a Jan kauft normalerweise sportliche Kleider.
b Er trägt Skateschuhe und T-Shirts, weil sie in sind.
c Das T-Shirt ist eigentlich ein Geschenk für seinen Onkel.

Max
a Max ist es ziemlich egal, ob seine Kleider modisch sind oder nicht.
b Er mag nur schwarze Kleider.
c Max ändert seinen Stil nie.
d Er trägt Sachen, die er mag.

Nicole
a Nicole interessiert sich sehr für Mode.
b Sie ändert ihren Stil jede Woche.
c Sie mag bequeme Sachen.
d Sie kauft alle ihre Kleider auf dem Trödelmarkt.

4 Und du?

Spielt Mode für dich eine wichtige Rolle? Bist du eher wie Manu oder Max oder Jan oder Nicole? Vergleiche ihre Meinungen mit deiner eigenen Meinung. Mach Notizen.
Beispiel

Ich auch ...
Mode ist für mich ziemlich wichtig.

Ich nicht ...
Ich kaufe nie Sachen auf dem Trödelmarkt.

5 Ist Mode für dich wichtig?

Vergleiche deine Notizen mit einem Partner oder einer Partnerin. Stell deinem Partner oder deiner Partnerin folgende Fragen:

6 Was sagst du?

Schreib einen Artikel über dich selbst. Wie wichtig ist Mode für dich? Was für Kleider kaufst du? Wie oft? Hast du eine Lieblingsfarbe? Dann lerne den Artikel auswendig und führe ihn auf.

Du hast die Wahl

1 Was magst du?

Was magst du? Was magst du nicht?
Mach zwei Listen.

Beispiel

Ich mag	Ich mag nicht
meine Familie	Mathe
meine Freunde	den Mathelehrer
meinen Hund	Tanjas Hund
Fußball	Hausaufgaben
Pizza	Horrorfilme

2 Gedicht

Lies das Gedicht unten. Kannst du ein eigenes
Gedicht nach diesem Modell schreiben?

> *Einen Freund möchte ich*
> *Einen Freund brauche ich*
> *Einen Freund suche ich*
> *Einen Freund habe ich*
> *Nicht*

3 Rate mal, wer das ist!

Beschreib Freunde und/oder Freundinnen in deiner
Klasse. Können deine Klassenkameraden jedes Mal
raten, wer das ist?

Beispiel

Sie interessiert sich sehr für Mode.
Sie kauft jede Woche Klamotten.
Sie ändert ihren Stil oft.
Sie trägt Sachen, die ich mag.
Sie kauft nie Kleider auf dem Trödelmarkt.

Wer ist das?

4 Eine Minute auf der Straße

Die Radiosendung ‚Eine Minute auf der Straße‘
interviewt zwölf Schüler und Schülerinnen der
Wilhelm-Busch-Gesamtschule zum Thema ‚Musik‘.
Die Frage: Magst du klassische Musik? Wie viele
antworten mit ‚Ja‘? Wie viele mit ‚Nein‘? Hör gut zu
und mach Notizen.

Beispiel

Ich mag klassische Musik.	Klassische Musik mag ich nicht.
✓✓	✓✓✓

5 💾 Klassenkampf

Hör mal der zehnten Episode der Serie zu: ‚Ich habe
keine CD gestohlen …‘

6 💾 Der Bankräuber

Hör gut zu. Eine Frau und ein Mann beschreiben
einen Bankräuber. Sieh dir das Bild an. Wer ist der
Bankräuber?

Zusammenfassung

Grammatik

Nominativ

Was kostet	der Schal er	die Jacke sie	das T-Shirt? es?
Was kosten	die Sportschuhe? sie?		

Akkusativ

Haben Sie Ich brauche Ich suche	einen Schal? eine Jacke. ein T-Shirt. Sportschuhe.
Ich möchte Ich hätte gern Ich nehme	diesen Schal. diese Jacke. dieses T-Shirt. diese Sportschuhe.
Ich mag Ich finde Ich kaufe Ich trage	den Schal. die Jacke toll. das T-Shirt. die Sportschuhe.

Jetzt kannst du ...

Geld und Preise verstehen

Was kostet der Taschenrechner?	How much is the calculator?
Er kostet ...	It costs ...
elf Mark zwanzig.	eleven Marks twenty.
hundert Schilling.	a hundred Schillings.
neun Franken fünfzig.	nine Francs fifty.

Waren kaufen

Wo finde ich Ohrringe?	Where can I find earrings?
Im ersten/zweiten/dritten Stock.	On the first/second/third floor.
Im Erdgeschoss.	On the ground floor.
Im Tiefgeschoss.	In the basement.
Kann ich Ihnen helfen?	Can I help you?
Haben Sie einen Schal?	Do you have a scarf?
Ich suche eine Brille.	I'm looking for a pair of glasses.
Ich brauche ein Hockeyhemd.	I need a hockey shirt.
Ich möchte diese Sonnenbrille.	I would like this pair of sunglasses.
Ich hätte gern diese Sportschuhe.	I would like these trainers.
Ich nehme diesen Schal.	I'll take this scarf.
Zahlen Sie bitte an der Kasse.	Please pay at the cashdesk.

Kommentare über Preise und Waren machen

Das ist mir zu teuer/zu viel.	That's too expensive/too much.
Magst du den Hut?	Do you like the hat?
Ja, ich mag ihn.	Yes, I like it.
Wie findest du das T-Shirt?	What do you think of the t-shirt?
Ich finde es fantastisch.	I think it's fantastic.
Die Schuhe sind sehr bequem.	The shoes are very comfortable.
Mode interessiert mich nicht.	Fashion doesn't interest me.
Mode ist für mich ziemlich wichtig.	Fashion is quite important to me.

Mir ist ziemlich egal, ob meine
  Kleider in sind oder nicht.
	I don't really care whether my
	  clothes are 'in' or not.

Lesepause

Einkaufen, klauen ... und Kids

In der Bundesrepublik gibt es fünf Millionen junge Leute im Teenageralter, also zwischen 13 und 19 Jahren. Teenager kaufen im Monat für rund 360 Millionen Mark ein. Das sind über DM 4.000.000.000 im Jahr. Für die Warenhäuser und Läden Deutschlands sind Jugendliche eine wichtige Gruppe. Was kaufen sie?

Viele Teenager geben ihr Geld für genau die gleichen Dinge aus ...

Wofür geben Teenager regelmäßig Geld aus?	
26%	kaufen Kleidung
21%	sparen
20%	kaufen Süßigkeiten
19%	kaufen Kosmetikartikel
19%	kaufen Zeitschriften und Bücher
18%	kaufen CDs und Kassetten
17%	kaufen Getränke
11%	gehen regelmäßig ins Kino
11%	gehen regelmäßig in die Disko

Warum kaufen junge Deutsche bestimmte Produkte? Preis und Qualität spielen natürlich eine Rolle. Umweltfreundlichkeit auch. Aber Preis, Qualität und Umweltfreundlichkeit allein sind nicht genug. Für viele Jugendliche ist oft der Markenname wichtiger. Beispiele: Jeans, Sportschuhe, Stereoanlagen.

Angelika: ‚Der Markenname ist das wichtigste. Du musst die richtigen Sportschuhe haben, die richtigen Jeans, den richtigen Schmuck oder du bist nicht in. Einige Schulkameraden klauen sogar um die richtigen Sachen zu bekommen ...'

In einem Warenhaus irgendwo in Deutschland ...

Die Schule ist aus. Thorsten und seine Clique sind in einem Warenhaus in der Stadtmitte. Sie haben keine Pläne.

Am Kosmetikstand schminken sich die Mädchen. Olli und Sven probieren Hüte auf. Thorsten schaut sich CDs an. HEXENHAMMER, Rotfunk, X-Dorf ... solche Sachen. Er nimmt eine CD von X-Dorf. Er hat die CD in der Hand und ist auf dem Weg zur Kasse. Da kommt ihm der Gedanke: 40 Mark kostet das Ding. 40 Mark ... Das ist echt teuer.'

Manchmal klauen die anderen etwas. Lippenstifte, Süßigkeiten, Sonnenbrillen ... solche Sachen. Ein Blick über die Schulter. Es gibt keine Kameras. Nichts. Die CD verschwindet in der Tasche.

Thorsten geht zum Ausgang. Fünf Meter vor dem Ausgang hört er eine Stimme: ,Bitte kommen Sie mit in unser Büro ... '

Ein zweiter Hausdetektiv steht auch direkt vor dem Ausgang. Es gibt keinen Ausweg. Thorsten sagt nichts. Wo sind seine Kameraden? Er kann kaum denken. ,Kommen Sie bitte mit', sagt der erste Hausdetektiv wieder.

Er geht mit ins Büro. Die Detektive telefonieren mit Thorstens Eltern und melden den Diebstahl der Polizei. Und dann ... nichts.

Thorsten wartet mit dem ersten Detektiv im Büro. Beide sagen kein Wort. Erst zwei Stunden später kommt ein Polizist ins Büro herein. Der Polizist bringt Thorsten nach Hause. Seine Mutter macht die Tür auf.

In den Warenhäusern und Läden Deutschlands ertappen Hausdetektive über 600.000 Ladendiebe pro Jahr. Fast 100.000 davon sind Jugendliche unter 18 Jahren. Sie ertappen weitaus mehr Mädchen als Jungen.

Ertappte Ladendiebe nach Altersgruppen und Geschlecht in Prozent (1992)		
Mädchen	bis 14 Jahre	6,1 %
Jungen	bis 14 Jahre	2,98 %
Mädchen	14 - 18 Jahre	9,4 %
Jungen	14 - 18 Jahre	4,8 %
Mädchen	18 - 21 Jahre	6,5 %
Jungen	18 - 21 Jahre	2,6 %

Die Warenhäuser investieren Millionen für Videokameras, Alarmsysteme und Detektive.

Die meist geklauten Artikel sind Make-up und Kosmetikartikel, Schmuck, Spielwaren, CDs, Lebensmittel, Sportartikel, Schreibwaren und Hobbyartikel.

Und die Motive? Die jungen Diebe nennen oft Langeweile, Gruppenzwang und das enorme Warenangebot ... Geldmangel spielt nur selten eine Rolle. Die meisten Diebe können die Ware ohne Problem bezahlen. Oft ist der gestohlene Artikel nicht viel wert.

LADEN DIEB STAHL IST DER FALSCHE WEG!

11 Hören und Sehen

Hier lernst du ...

Wann stehst du auf?

Um halb sieben.

deinen Alltag zu beschreiben

Was findest du interessant?

Musiksendungen und Krimis.

über Fernsehen zu sprechen

Was für Musik magst du gern?

Ich mag gern Rap.

über Musik und Radio zu sprechen

Was ist dein Lieblingsauto?

Mein Lieblingsauto ist der VW Käfer.

über deine Lieblingssachen zu sprechen
über das sprechen, was du am wenigsten magst

1 ▭ Zeitlinien

Martin und Anna beschreiben einen typischen Schultag.
Hör gut zu. Welche Zeitlinie passt zu welcher Person?
Beispiel
 a Martin? Oder Anna ... ?

2 ▭ Noch etwas!

Jetzt hör nochmal gut zu und schreib die Uhrzeiten auf.
Beispiel

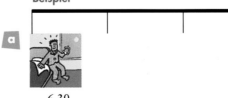

6.30

3 📼 Sebastians Schultag

Jetzt beschreibt Sebastian seinen Schultag. Hör gut zu.
Kannst du eine Zeitlinie für ihn zeichnen?
Beispiel

6.15

4 📼 Quiz – wer ist denn das?

Lies die Sätze in den Sprechblasen. Wer spricht?
Anna? Martin? Oder Sebastian?
Beispiel
a Anna

a Um halb sieben stehe ich auf.

b Von Viertel vor sieben bis halb acht fahre ich Rad.

c Ich sehe von dreizehn Uhr dreißig bis achtzehn Uhr fern.

d Ich schlafe um dreiundzwanzig Uhr dreißig ein.

e Ich gehe um dreizehn Uhr aus.

f Ich fahre von neunzehn Uhr bis einundzwanzig Uhr Rad.

g Ich wache um Viertel nach sechs auf.

h Ich komme um einundzwanzig Uhr nach Hause.

Lerntipp

Trennbare Verben

Ich **stehe** um sieben Uhr **auf**.	(Infinitivform: **auf**stehen)
Ich **gehe** um acht Uhr **aus**.	(Infinitivform: **aus**gehen)
Ich **schlafe** um dreiundzwanzig Uhr **ein**.	(Infinitivform: **ein**schlafen)

---

5 Und dein Alltag?

Stell deinem Partner/deiner Partnerin Fragen über seinen/ihren Alltag.
Achtung! Er/sie muss immer die <u>vorherige</u> Frage beantworten!
Beispiel

A Wann wachst du auf? **B** *(Sag noch nichts!)*

A Und wann stehst du auf? **B** Ich wache um sieben Uhr auf.

A Und wann bist du in der Schule? **B** Ich stehe um halb acht auf.

6 Jetzt bist du dran!

Beschreib deinen ‚Traumtagesablauf' oder deinen
‚Albtraumtagesablauf'!
Beispiel
Ich wache um vier Uhr auf. Dann stehe ich auf und mache von Viertel
nach vier bis acht Uhr meine Hausaufgaben. Von halb neun bis
neunzehn Uhr bin ich in der Schule …

Lerntipp

Unregelmäßiges Verb – mögen

ich	mag
du	magst
er/sie/es	mag
wir	mögen
ihr	mögt
Sie	mögen
sie	mögen

1 ▭ Magst du gern Werbung?

Umfrage: Welche Sendungen mag man gern und welche mag man nicht gern? Hör gut zu und mach zwei Listen.
Beispiel

f, g, …

Talk-Shows — **Komödien** — **Zeichentrickfilme** — **Serien**

Werbung — **Kindersendungen** — **Sportsendungen** — **Detektivserien**

Nachrichten — **Umweltberichte** — **Abenteuerfilme** — **Musiksendungen**

2 ▭ Stimmt das?

Hör nochmal zu. Welche Meinungen hörst du? Mach eine Liste.
Beispiel
1, …

1 Ich mag gern Kindersendungen.
2 Nachrichten finde ich noch interessanter.
3 Am langweiligsten sind diese endlosen Talk-Shows.
4 Am besten finde ich Nachrichten.
5 Serien finde ich noch schlimmer.
6 Ich mag Komödien.
7 Detektivserien finde ich noch interessanter.
8 Umweltberichte mag ich gar nicht!

3 Rate mal!

Sag deine Meinung über eine Sendung. Was für eine Sendung ist das? Dein/e Partner/in muss raten! Dann tauscht die Rollen.
Beispiel

A Am schlimmsten. **B** Sportsendungen.

A Richtig! Jetzt bist du dran.

4 ▭ Logikspiel

Vier Jugendliche wollen von 18.00 bis 23.00 Uhr fernsehen.
Lies die Texte unten. Was werden sie sich anschauen?
Dann hör gut zu. Hast du recht?
Beispiel
18.00: Alles über Tiere (RTL)
19.00: ...

Anke
Krimis und lustige Komödien
mag ich sehr gern, aber
Detektivserien und
Kriegsfilme fallen mir auf die
Nerven. Sportsendungen und
doofe Zeichentrickfilme kann
ich auch nicht leiden. Tierfilme
und Umweltberichte finde ich
sehr interessant.

Jutta
Talk-Shows und Detektivserien
(besonders amerikanische!)
kann ich nicht leiden. Tierfilme
finde ich unheimlich
interessant. Umweltberichte
und Komödien finde ich noch
interessanter.
Am aufregendsten sind
Krimis und Western!

	ARD	ZDF	SAT.1	RTL
18.00	**Unter uns** *Talk-Show mit* *Helmut Kaas*	**Handball live** *2. Bundesliga* *der Frauen*	**Chicago Police** *Detektivserie* *aus Amerika*	**Alles über** **Tiere** *Ein Jahr bei* *den Mäusen*
19.00	**Kommissar** **Schmidt** *Drei Bankräuber* *werden beim* *Teilen der Beute* *entdeckt*	**Das Boot** *Geschichte eines* *deutschen* *U-Boots im* *Zweiten Weltkrieg*	**Wortwechsel** *Talk-Show mit* *Meike Frisch* *im Gespräch mit* *Autor Fritz Wolf*	**NYPD Blue** *Detektivserie* *aus New York*
20.00	**Motorsport** *IndyCar* *Magazin* *– Rückblick*	**Yogi Bär** *Diese Woche –* *Yogi im* *Gefängnis*	**Monsieur** **Lascaut** *Krimi aus* *Frankreich*	**Stalingrad** *Die grausamste* *Schlacht des* *Zweiten* *Weltkriegs*
21.00	**Abenteuer** **in der Wüste** *Film mit Rod* *Steiger* *(USA, 1969)*	**Für ein paar** **Dollar mehr** *Diese Woche –* *Western mit* *Clint Eastwood* *(USA, 1965)*	**Tom & Jerry** *Toms Rache*	**In Sachen** **Natur** *Umweltmagazin* *Diese Woche:* *Flüsse als Kanäle*
22.00	**M*A*S*H** *US-Komödie über* *den Krieg in Korea*	**Tagesschau** *Nachrichten* *des Tages*	**Abendkonzert** *mit Heinz Lubbers.* *Heute: Beethoven*	**Der fliegende** **Doktor** *Serie aus Australien*

Harald
Musiksendungen und Komödien finde ich
toll und ich mag auch sehr gern
Umweltberichte und Krimis. Nachrichten
oder Western mag ich nicht. Noch
schlimmer finde ich Serien. Tierfilme
finde ich am interessantesten.

Georg
Umweltberichte und Tierfilme mag ich gern.
Krimis finde ich am aufregendsten.
Musiksendungen kann ich nicht leiden – die
Musik ist meistens so veraltet! Ich mag gern
Komödien, aber Abenteuerfilme, Kriegsfilme
und Western fallen mir auf die Nerven.

5 Jetzt seid ihr dran!

Jetzt arbeitet zu dritt oder viert und seht euch eure
Notizen an. Welche Sendungen wollt ihr alle von 18
Uhr bis 23 Uhr anschauen?
Beispiel

A Ich mag gern Talk-Shows. Von 18 Uhr
bis 19 Uhr ist in der ARD eine Talk-Show.
Wollen wir uns die anschauen?

B Nein, Talk-Shows kann ich nicht leiden! Wollen wir ...

6 Jetzt bist du dran

Schreib deine Meinungen über verschiedene Arten
von Sendungen auf.
Beispiel
Ich mag gern Talk-Shows und Komödien, aber
Western finde ich todlangweilig ...

Wilfried

Frieda

Bridget

Peter

Eleni

1 🖭 Ruf uns doch mal an!

Man ruft den Radiokanal ‚Radio NRG' zum Thema
Radiosendungen an. Hör gut zu. Wer meint was?
Beispiel
Wilfried – g, …

a Werbung im Radio finde ich blöd.

b Die Diskjockeys fallen mir auf die Nerven.

c Popmusikkanäle kann ich nicht leiden.

d Die Diskjockeys sprechen zu viel.

e Sport im Radio ist doof – man kann ja nichts sehen!

f Klassische Musik finde ich unheimlich langweilig.

g Klassische Musik mag ich besonders gern.

2 Positiv oder Negativ?

Jetzt schreib die Meinungen in dein Heft auf. Mach zwei Listen für
positiv und negativ.
Beispiel

Negativ	Positiv
Werbung im Radio finde ich blöd.	…

3 Jetzt bist du dran!

Mit welchen Meinungen bist du einverstanden? Mach noch eine Liste in
dein Heft. Wenn du möchtest, füg noch andere hinzu.
Beispiel
Werbung im Radio finde ich blöd.

4 Diskussion

Diskutiert in der Klasse. Arbeitet zu viert. Jede Gruppe muss fünf Sätze
über das Radio erfinden. Der Lehrer schreibt diese dann auf die Tafel.
Welche Meinungen sind am beliebtesten?

5 📼 Was für Musik hörst du gern?

Heute interviewt Radiokanal FDR 7 Norbert Pfalzgraf, einen
Diskjockey. Das Thema: Was für Musik hörst du gern?
Hör gut zu. In welcher Reihenfolge hörst du diese Musikrichtungen?
Beispiel
1 g, …

6 📼 Noch etwas!

Hör nochmal zu und trag die Musikrichtungen in die richtige Spalte ein.
Beispiel

Gern	Lieber	Am liebsten
g	…	…

7 Klassenumfrage

Was für Musik mag deine Klasse am liebsten? Mach eine
Klassenumfrage und schreib die Ergebnisse in dein Heft (mag gern = 1
Punkt; mag lieber = 2 Punkte; mag am liebsten = 3 Punkte).
Beispiel

A Was für Musik magst du gern?

B Ich mag gern Rap. *(1 Punkt)*

A Und was für Musik magst du lieber?

B Ich mag lieber Jazz. *(2 Punkte)*

A Und was für Musik magst du am liebsten?

B Ich mag am liebsten Diskomusik. *(3 Punkte)*

1 Hier sind ein paar meiner Lieblingssachen ...

Stell die Satzteile zusammen und mach eine Liste in dein Heft.
Beispiel
1 Meine Lieblingssendung ist *Bimbambino*.

1 Meine Lieblingssendung	ist Fritz Schmidt.
2 Meine Lieblingsgruppe	ist Schokolade.
3 Mein Lieblingslied	ist Volleyball.
4 Meine Lieblingszeitung	ist mein Computer.
5 Mein Lieblingsauto	ist Cola.
6 Mein Lieblingssportler	ist Bimbambino.
7 Mein Lieblingssport	ist der Cadillac.
8 Mein Lieblingsessen	ist X-Dorf.
9 Mein Lieblingsgetränk	ist Gib mir deine Nummer (nicht).
10 Meine Lieblingssache	ist die Bild Zeitung.

Lerntipp
Lieblings-
Mein Lieblingssänger ist ...
Meine Lieblingssängerin ist ...
Mein Lieblingsauto ist ...

2 Noch etwas!

Hör gut zu. Wer hat am meisten mit der Liste gemeinsam?
Georg? Oder Christina?
Beispiel

	Gemeinsam	Nicht gemeinsam
Georg	5, ...	1, ...
Christina	...	...

3 Jetzt bist du dran!

Wähl vier Schüler/innen aus der Klasse. Was sind ihre Lieblingssachen? Rate mal! Mach für jede Person eine Liste über sechs Sachen. Dann gib deinem Partner/deiner Partnerin die Liste. Er/sie muss die Leute finden und ihnen Fragen stellen. Hast du recht?
Beispiel

	Lieblingssendung	Lieblingsauto	Lieblingsessen
Paul	Neighbours	Golf GTi	Schokolade
Lucinda	NYPD Blue	Fiat Cinquecento	Brot
Leroy			

4 📼 ... und hier ist, was ich am wenigsten mag!

Silke, Andreas und Daniela sind etwas negativ.
Hier reden sie über das, was sie am wenigsten mögen.
Hör gut zu. Wer beantwortet welche Fragen?

Beispiel
Silke: 1, ...

1 Was für Sport magst du am wenigsten?
2 Was für Essen magst du am wenigsten?
3 Was für Autos magst du am wenigsten?
4 Was für Getränke magst du am wenigsten?
5 Was für Fernsehsendungen magst du am wenigsten?
6 Was für Haustiere magst du am wenigsten?

5 📼 Noch etwas!

Hör nochmal zu und sieh dir das Bild an. Welche Antworten gehören zu welchen Fragen? Achtung! Jedes Mal bleibt eine Antwort übrig!

Beispiel
1 Was für Sport magst du am wenigsten?
d Fußball

6 Sei negativ!

Und du? Was magst du am wenigsten? Trag die Fragen oben in dein Heft ein und beantworte sie für dich selbst.

Beispiel
1 Was für Sport magst du am wenigsten?
   Am wenigsten mag ich Kricket.

7 Jetzt bist du dran!

Jetzt schreib deinen eigenen Aufsatz über Lieblingssachen und Sachen, die du am wenigsten magst. Mach eine Collage, wie die Collage oben, um sie zu illustrieren.

Beispiel
Musik finde ich am besten. Popmusik finde ich toll und meine Lieblingsgruppe ist ...

Du hast die Wahl

1 Tagesablauf

Schreib einen Tagesablauf für Dracula oder den Yeti oder … ?
Beispiel

Draculas Tagesablauf
Um Mitternacht wache ich auf. Ich stehe um halb eins auf und dann frühstücke ich …

3 ▭ Klassenkampf

Hör mal der elften Episode der Serie zu: ‚Sebastian wird vermisst …'

4 ▭ Aussprache

1 Hör zu und sprich die Wörter nach:

etwas, wann, wache, was, langweilig, gewöhnlich, wieder, wie, wirklich, wer, Werbung, Umwelt, wahrscheinlich, zwar, wollen wir, werden wir, welcher, wird, wenn, wählen, weil, wie, weißt, wegen, wenigstens, Wellensittich, gewonnen, wo, wohne, Welt, schwer, wissen, weiß, Antwort.

6 ▭ Neues Programm!

Sieh dir diese Seite aus *TV Hören und Sehen* an. Hör gut zu. Das Programm ist jetzt anders. Was ist anders? Mach eine Liste in dein Heft.

2 Graffititafel

Gemischte Meinungen! Was hältst du von deiner Schule? Und von Werbung im Radio? Und von Hausaufgaben? Und von der Regierung? Und … ? Mach eine ‚Graffititafel' mit deinen Meinungen darauf!
Beispiel

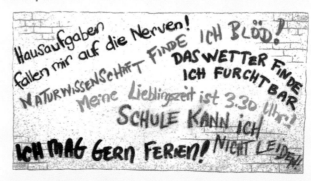

5 ▭ Zungenbrecher

Hör zu und sprich nach:
a Wann wachst du auf? Wo ich wohne, ist es gewöhnlich etwas windig, also wache ich wirklich früh auf.
b Welche Wellensittiche wird Walter wählen? Ich weiß nicht, aber wahrscheinlich wird er wenigstens einen weißen Wellensittich wählen.

DIENSTAG, DEN 14. NOVEMBER	
ZDF	
16.00	**Kinderprogramm**
16.30	**Muppet Babies** (ab 5)
16.55	**Achterbahn** (ab 9)
17.25	**Logo** (ab 6)
18.00	**Tagesschau**
18.30	**Berichte aus dem Ausland**
	Wien – Bericht von Renate Rogler
	New York – Bericht von Christa Draeger
19.00	**Naturzeit Lebensraum Wasser**
	Die Falklandinseln sind ein wahres Paradies für etwa 650.000 Pinguine
20.00	**Umweltbericht**
	Weltreise extrem – der große Regenwald
21.30	**Regionalprogramme**
22.00	**Der König** – Krimiserie mit Günter Strack
23.00	**Gottschalk**
	Late Night Show mit Thomas Gottschalk.
	Themen und Gäste erfahren Sie unter Tel.: 0190 191 080

Zusammenfassung

Grammatik

Trennbares Verb – aufstehen	
ich	stehe auf
du	stehst auf
er/sie/es	steht auf
wir	stehen auf
ihr	steht auf
Sie	stehen auf
sie	stehen auf

Unregelmäßiges Verb – mögen	
ich	mag
du	magst
er/sie/es	mag
wir	mögen
ihr	mögt
Sie	mögen
sie	mögen

Eine neue Form des Superlativs
am langweilig**sten**
am interessant**esten**

Lieblings-
Mein Lieblingsfilm ist …
Meine Lieblingsfarbe ist …
Mein Lieblingsauto ist …

Jetzt kannst du …

deinen Alltag beschreiben

Was machst du …
   um sechs Uhr?
   danach?
Um sechs Uhr…
   wache ich auf.
   stehe ich auf.
   gehe ich aus.
Von elf Uhr bis dreizehn Uhr…
   bin ich in der Schule.
   mache ich meine Hausaufgaben.
   fahre ich Rad.

What do you do …
   at six o' clock?
   afterwards?
At six o' clock …
   I wake up.
   I get up.
   I go out.
From eleven o' clock to one o' clock …
   I am at school.
   I do my homework.
   I ride my bike.

über Fernsehen sprechen

Wollen wir die Nachrichten ansehen?
Wollen wir das ansehen?
Wie findest du Talk-Shows?
Ich finde Talk-Shows spannend.
Ich sehe gern Komödien.

Shall we watch the news?
Shall we watch that?
What do you think of talkshows?
I think talkshows are exciting.
I like watching comedies.

über Radio und Musik sprechen

Die Werbung fällt mir auf die Nerven.
Die Diskjockeys fallen mir auf die Nerven.
Popmusik kann ich nicht leiden.
Es gibt zu viel/Es gibt zu viele …
Welche Kanäle/Sender hörst du gern?
Was für Musik hörst du gern?
Ich höre/mag gern klassische Musik.

The advertising gets on my nerves.
The diskjockeys get on my nerves.
I can't stand pop music.
There is too much/There are too many …
Which channels/stations do you like listening to?
What kind of music do you like listening to?
I like listening to/like classical music.

über deine Lieblingssachen sprechen
über das sprechen, was du am wenigsten magst

Mein(e) Lieblings- … ist …
Am wenigsten mag ich …

My favourite … is …
My least favourite … is …

12 Jahresübersicht

Hier lernst du ...

Was hast du in der Schule gemacht?

Ich habe Projekte gemacht.

zu sagen, was du in der Schule gemacht hast

Mir hat Geschichte unheimlich Spaß gemacht.

zu sagen, wie du alles gefunden hast

Ich habe Bücher gelesen.

zu beschreiben, was du in deiner Freizeit gemacht hast

Letzes Jahr bin ich nach Spanien gefahren. Ich bin schwimmen gegangen.

über deinen Urlaub zu reden

---

a die anderen gestört

b klassische Musik gehört

c Projekte gemacht

d Dinge gezeichnet und gemalt

1 ▭ Was hast du in der Schule gemacht?

Bald sind Ferien! Was hat die Klasse 9A in der Schule gemacht?
Wie haben die Schüler/innen es gefunden? Hör gut zu.
Wer nennt welche Tätigkeiten?

Beispiel

Anna	Sebastian	Dominik	Sezen	Anja
e, c, k, m	...	...	...	...

ich habe ... /wir haben ...

e in Gruppen gearbeitet

h über Umweltschutz und Klima geredet

l am Computer gearbeitet

o nicht aufgepasst

f Experimente gemacht

i viele Umfragen gemacht

m aus dem Fenster geschaut

g eine Klassenfahrt gemacht

j Grammatik gelernt

n Fußball gespielt

k geplaudert

p Rollenspiele gemacht

2 Martins Beurteilungen

Martin und seine Lehrer/innen haben für jedes Fach Beurteilungen gemacht. Lies alle vier Beurteilungen. Dann lies die Sätze unten links. Wer meint was? Martin? Oder sein/e Lehrer/in?

Beispiel

1 Martin

Wer meint das?

1 Mathe hat Martin keinen Spaß gemacht.

2 Französisch hat Martin viel Spaß gemacht.

3 Martin hat viel Grammatik gelernt.

4 Martin hat den Komiker gespielt.

5 Martin hat viel auf Französisch geredet.

6 Martin hat seine Hausaufgaben jede Woche pünktlich gemacht.

7 Martin hat mit seinen Freunden geplaudert.

8 Martin hat seine Hausaufgaben oft nicht pünktlich gemacht.

Schülerbeurteilung. Fach: Französisch

Französisch hat mir unheimlich viel Spaß gemacht. Ich habe viel Grammatik gelernt und habe über mich und meine Interessen auf Französisch geredet. Wir haben Kassetten gehört und Gedichte auswendig gelernt und das hat auch Spaß gemacht. Ich habe meine Hausaufgaben jede Woche pünktlich gemacht.

Martin Berg   (Schüler/in)

Schülerbeurteilung. Fach: Mathematik

Mathe hat mir nicht viel Spaß gemacht. In Mathe habe ich viel zu wenig gearbeitet. Ich finde Mathe furchtbar schwierig und auch etwas langweilig und ich habe oft mit meinen Freunden geplaudert. Aber ich habe die anderen nicht gestört und habe meine Hausaufgaben manchmal pünktlich gemacht.

Martin Berg   (Schüler/in)

Lehrerbeurteilung. Fach: Französisch

In Französisch hat Martin manchmal gut gearbeitet, aber oft hat er nur aus dem Fenster geschaut. Bei Gruppenarbeit hat er zu oft den Komiker gespielt und er hat sehr wenig auf Französisch geredet, sondern meistens auf Deutsch. Meistens hat er seine Hausaufgaben pünktlich gemacht.

A. Blekmann   (Französischlehrer/in)

Lehrerbeurteilung. Fach: Mathematik

In Mathe hat Martin einige Schwierigkeiten gehabt, aber im Großen und Ganzen hat er ganz gut gearbeitet. Er hat gewöhnlich gut aufgepasst und hat die anderen nicht gestört. Er hat nicht in der Klasse geplaudert, aber er hat seine Hausaufgaben oft nicht pünktlich gemacht.

D.T. Hahla   (Mathelehrer/in)

Lerntipp

Regelmäßige Verben im Perfekt

ich habe	
du hast	
er/sie/es hat	**gearbeitet**
wir haben	**gelernt**
ihr habt	**gespielt**
Sie haben	
sie haben	

Achtung!

Mathe **war** …

Mathe und Englisch **waren** …

A Dieses Fach hat gar keinen Spaß gemacht. Wir haben sehr viel über Statistik gelernt, aber es war alles furchtbar schwierig …

B Mathe?

A Richtig!

---

3 Jetzt bist du dran!

Schreib deine eigenen Beurteilungen für dein Lieblingsfach und das Fach, das du am wenigsten magst. Kleb sie an die Wand (schreib deinen Namen nicht darauf, aber schreib die Namen der Fächer). Dann lies sie alle. Wer ist wer? Wer ist am ehrlichsten?

Beispiel

Mir hat Englisch am meisten Spaß gemacht. Wir haben Projekte gemacht und das war prima. Ich habe meistens gut aufgepasst …

4 Welches Fach ist das?

Wähl ein Fach und mach eine Beurteilung für deinen Partner/ deine Partnerin. Kann er/sie raten, welches Fach das ist?

Beispiel

(Siehe links)

1 ▭ Klaro-Freizeitübersicht

Klaro-Leser/innen sprechen über ihre Freizeit in diesem Jahr.
Hör gut zu und ordne die Bilder.
Beispiel

1   e, ...

2 ▭ Noch etwas!

Hör nochmal zu. Wer macht was?

| Hanno | Janosch | Roswitha | Bärbel | Rüdiger |

Beispiel
Hanno – e, ...

3 Quiz

Sieh dir deine Antworten zu den vorigen Übungen an und beantworte
die Fragen.
Beispiel

1   Janosch

Wer hat ...

1   nur ein Squashspiel gewonnen?
2   gelesen und Briefe geschrieben?
3   in der Ecke des Fußballplatzes gestanden?
4   Hamburger gegessen und Cola getrunken?
5   im Eiscafé gesessen und Eis gegessen?
6   mit Freunden im Jugendklub gesprochen?

Lerntipp

Starke (unregelmäßige) Verben

ich habe	
du hast	
er/sie/es hat	**gelesen**
wir haben	**gegessen**
ihr habt	**getrunken**
Sie haben	
sie haben	

4 Klaro-Leser beschreiben ihre Träume!

Das Magazin KLARO berichtet diese Woche alles über Träume.
Hier beschreiben einige Leser/innen ihre Träume. Lies die
Beschreibungen und dann wähl eine Person für jeden Satz unten.
Beispiel
1 Volker

In meinem Traum habe ich in einem blauen Schwimmbad gesessen und Zeitungen gelesen. Ich habe Zwiebeln mit Schokoladensoße gegessen und grüne Milch getrunken. Um mich herum waren Vögel und Katzen. Die Vögel haben mit Kopfhörern Kassetten gehört und die Katzen haben Zeitungen gelesen und Fußball gespielt.
Ditmar, Wuppertal

In meinem Traum habe ich in der Mitte eines Fußballplatzes gestanden. Hundert grüne Hunde haben Hamburger gegessen und Musik gehört. Ein Chor hat seltsame Lieder gesungen und alle haben Gitarre gespielt. Wellensittiche haben überall gesungen und gelbe Pferde haben alles gemalt.
Yilmaz, Menden

Ich habe in einer Badewanne voller Tee gesessen. Dort habe ich ferngesehen, Kuchen gegessen und blaue Limonade getrunken. Im Badezimmer waren auch meine Mutter, mein Bruder und eine Maus. Die Maus hat Lieder gesungen und meine Mutter und mein Bruder haben Bücher gelesen und Schokolade gegessen.
Volker, Wernigerode

Wer hat das geträumt?

1 Er/sie hat Limonade getrunken.
2 Er/sie hat auf einem Fußballplatz gestanden.
3 Eine Maus hat Lieder gesungen.
4 Ein Chor hat Lieder gesungen.
5 Er/sie hat im Bad ferngesehen.
6 Er/sie hat in einem Schwimmbad gesessen.
7 Hunde haben Musik gehört.
8 Gelbe Pferde haben alles gemalt.
9 Katzen haben Zeitungen gelesen.
10 Er/sie hat Milch getrunken.

5 Jetzt bist du dran!

Hast du interessante oder seltsame Träume gehabt? Wenn ja, beschreib
einen davon. Wenn nicht, erfinde deinen eigenen Traum!
Beispiel
Ich habe mit Godzilla Squash gespielt. Er hat gewonnen …

1 🔲 Ferien – letztes Jahr und dieses Jahr!

Bald sind Ferien. Anna, Martin und ihre Freunde reden darüber, was sie letztes Jahr gemacht haben und was sie dieses Jahr machen.
Hör gut zu und ordne die Bilder.
Beispiel
1   c, ...

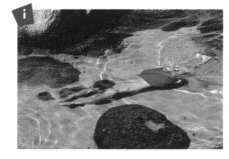

2 🔲 Richtig oder falsch?

Hör nochmal zu. Welche Sätze sind richtig und welche sind falsch?
Beispiel

Falsch	Richtig
1, ...	...

1 Letztes Jahr ist Dominik nach Frankreich gefahren.
2 Letztes Jahr ist Dominik im Urlaub Rad gefahren.
3 Letztes Jahr ist Martin nach Schottland gefahren.
4 Letztes Jahr ist Sebastian nach London gefahren.
5 Letztes Jahr ist Sebastian den Eiffelturm hinaufgestiegen.
6 Dieses Jahr fährt Sebastian nach Irland.

Lerntipp

Verben mit ‚sein' im Perfekt
ich bin
du bist
er/sie/es ist   **gegangen**
wir sind   **gefahren**
ihr seid   **gekommen**
Sie sind
sie sind

3 Noch etwas!

Schreib die falschen Sätze richtig auf.
Beispiel
1   Letztes Jahr ist Dominik nach <u>Italien</u> gefahren.

4 Grüße aus Barcelona!

Sezen und Anja sind beide nach Spanien gefahren und haben Martin Briefe geschickt. Lies die Briefe. Was haben sie gemeinsam unternommen und was nicht? Mach zwei Listen darüber in dein Heft.

Beispiel

Anja	**Sezen**	**Gemeinsam**
Am Montag ist Anja Rollschuh gefahren.	...	...

Lieber Martin,

ich bin hier in Barcelona mit Anja und wir bleiben bis Freitag.

Am Montag bin ich schwimmen gegangen und am Montagabend bin ich in die Disko gegangen. Anja hat einen neuen spanischen Freund. Er heißt Ramón.

Am Dienstagabend bin ich mit Anja und Ramón in ein Konzert gegangen. Ich bin aber schon um neun Uhr wieder zurückgekommen – das Konzert war sehr langweilig!

Gestern bin ich mit Anja schwimmen gegangen und das war super toll! Zum Glück war Ramón nicht dabei!

Heute sind wir auf dem Campingplatz geblieben. Morgens haben wir gelesen. Nachmittags ist Anja auf einer Paellaparty (mit ihrem Ramón ...) gewesen, aber ich habe solange ein bisschen ferngesehen.

Leider fahren wir morgen schon wieder nach Hause – aber glücklicherweise ohne Ramón ...

Bis dann

deine

Sezen

Lieber Martin,

ich verbringe ein paar Tage mit Sezen hier in Barcelona. Es ist hier super toll! Am Montag bin ich Rollschuh gefahren und am Montagabend bin ich auf der Party von einem spanischen Jungen gewesen. Er heißt Ramón ...

Am Dienstagabend bin ich mit Ramón und Sezen in ein Konzert gegangen. Ich bin erst um elf Uhr (mit Ramón!!) zurückgekommen.

Gestern sind wir schwimmen gegangen (leider ohne R!). Am Strand war es aber sehr heiß.

Heute sind wir auf dem Campingplatz geblieben. Morgens haben wir gelesen und nachmittags bin ich auf dem Campingplatz mit Ramón auf einer Party gewesen. Wir haben Paella gegessen.

Morgen kommen wir wieder nach Hause – schade! Ich werde Ramón vermissen ...

deine

Anja

5 Alles durcheinander!

Bilde Sätze mit den Wörtern rechts. Dann ordne die Sätze und bilde eine Zusammenfassung von Sezens Brief.

Beispiel

Sezen ist nach Spanien gefahren.

6 Noch etwas!

Kannst du eine Zusammenfassung von Anjas Brief schreiben? Und kannst du es der Klasse vorlesen?

Beispiel

Anja ist nach Spanien gefahren ...

Sie gestern gegangen schwimmen ist .

Campingplatz Heute auf sie dem ist geblieben.

gelesen Morgens hat sie.

bisschen sie hat ein ferngesehen Nachmittags.

Hause sie Morgen kommt wieder nach.

Spanien Sezen nach gefahren ist.

Montag Am ist sie gegangen schwimmen.

Montagabend ist Am sie in gegangen die Disko.

ist gegangen Am Dienstagabend Konzert ein sie in.

das Konzert sie Um neun Uhr ist – war zurückgekommen langweilig!

1 Ausreden, Ausreden ...

Einige Schüler aus der Klasse 9A sind in Schwierigkeiten geraten!
Lies, was sie gemacht haben, und sieh dir die Ausreden an.
Welche Ausrede findest du für jede Person am besten?

Martin hat seine Hausaufgaben nicht gemacht.
Anja hat ihre Sportsachen vergessen.
Dominik ist zu spät zur Schule gekommen.
Sezen hat in der Klasse Bonbons gegessen.

Beispiel
Martin hat seine Hausaufgaben nicht gemacht:

> Der Hund hat mein Heft gefressen.

> Meine Schwester hat meine Sachen mitgenommen.

> Der Schulbus ist sehr spät angekommen.

> Meine Mutter hat meine Sportsachen in die Waschmaschine gesteckt.

> Heute Morgen habe ich zu lange geschlafen.

> Der Hund hat mein Heft gefressen.

> Es hat geregnet und mein Heft war ganz nass.

> Ich habe meine Sportsachen im Bus vergessen.

> Das Baby hat mein Heft versteckt.

> Ich habe den ganzen Abend ferngesehen.

> Dominik hat mir dieses Bonbon gegeben.

> Letzte Nacht habe ich sehr wenig geschlafen.

> Ich habe mein Heft vergessen.

> Ich war hungrig.

> Das sind Hustenbonbons.

2 ▭ Die passende Ausrede?

Hör gut zu und sieh dir ‚deine' Ausreden an. Hast du recht?

3 ▭ Nachsitzen?!

Rate nochmal, wer nachsitzt – und wer nicht.
Dann hör gut zu. Hast du recht?
Beispiel
Sitzt nach   Sitzt nicht nach
Martin   ...

4 Jetzt bist du dran!

Stell dir vor, du bist in Schwierigkeiten mit deinem Lehrer/
deiner Lehrerin! Was hast du gemacht? Welche Ausreden findest du?
Beispiel
Schwierigkeit: Ich habe in der Klasse gesprochen.
Ausrede: Ich habe meinen Kuli vergessen.

5 Satzformeln

Sag eine Formel. Dein/e Partner/in hat zehn Sekunden Zeit um den Satz zu sagen. Mach das zehnmal und rechne die Gesamtzeit aus. Achtung! Wenn er/sie in zehn Sekunden keinen Satz sagt, rechne noch zehn Sekunden zur Gesamtzeit dazu! Dann tauscht die Rollen.
Wer macht es schneller?
Beispiel

A A13 - B1 - C12 - D18.

B Jeden Abend habe ich mit Freunden ferngesehen.

A1 Einmal in der Woche	B1 habe ich	C1 in Gruppen	D1 gearbeitet.
A2 Zweimal in der Woche	B2 hast du	C2 nach XXX	D2 gefahren.
A3 Dreimal die Woche	B3 hat er	C3 meine Hausaufgaben	D3 gemacht.
A4 Im Winter	B4 hat sie	C4 am Computer	D4 gespielt.
A5 Im Sommer	B5 hat es	C5 Fußball	D5 gehört.
A6 Ab und zu	B6 hat man	C6 Kassetten	D6 gelernt.
A7 Manchmal	B7 haben wir	C7 Grammatik	D7 geschaut.
A8 Jede Stunde	B8 habt ihr	C8 aus dem Fenster	D8 gezeichnet.
A9 In den Ferien	B9 haben Sie	C9 Dinge	D9 gesungen.
A10 Am Wochenende	B10 haben sie	C10 Lieder	D10 gesprochen.
A11 Jede Woche	B11 bin ich	C11 alleine	D11 gegessen.
A12 Jeden Tag	B12 bist du	C12 mit Freunden	D12 gelesen.
A13 Jeden Abend	B13 ist er	C13 Bücher	D13 geblieben.
A14 Letzte Woche	B14 ist sie	C14 in XXX	D14 schwimmen gegangen.
A15 Im Januar	B15 ist man	C15 zu Partys	D15 ausgegangen.
A16 Gestern	B16 ist es	C16 mit Dracula	D16 gekommen.
A17 Heute	B17 sind wir	C17 nach Hause	D17 gegangen.
A18 Jedes Wochenende	B18 seid ihr	C18 in die Schule	D18 ferngesehen.
A19 Gestern Abend	B19 sind Sie	C19 meinen Hund	D19 getrunken.
A20 Heute Morgen	B20 sind sie	C20 mit meinem Pferd	D20 Rad gefahren.

6 Jetzt bist du dran!

Schreib Sätze in dein Heft. Du bekommst zwei Punkte für einen ‚komischen' Satz und einen Punkt für einen ‚normalen' Satz. Wer bekommt am meisten Punkte? Schreib die ‚Satzformeln' in Klammern nach jedem Satz.
Beispiel
Komischer Satz
Manchmal haben wir Kassetten gegessen.
(A7 - B7 - C6 - D11)

7 Meine Übersicht

Hat es dir gefallen Deutsch zu lernen? Und was hast du alles während dieser Zeit in der Schule gemacht? Schreib ein paar Sätze darüber in dein Heft.
Beispiel
Jeden Tag bin ich in die Schule gegangen. Das habe ich furchtbar gefunden …

👤 Du hast die Wahl

1 Traumbeurteilung?

Schreib eine ‚Traumbeurteilung‘ oder eine ‚Albtraumbeurteilung‘.
Beispiel

> **Lehrerbeurteilung:**
> **Duane Chipperfield**
> In Deutsch hat Duane die anderen fast die ganze Zeit gestört. Er hat sehr oft mit seinen Freunden auf Englisch geredet und meistens hat er aus dem Fenster geschaut oder den Komiker gespielt. Er hat keine Hausaufgaben gemacht …

2 Verbgedicht

Kannst du dein eigenes Verbgedicht schreiben?
Beispiel

Liebe?
ich habe Ja gesagt
sie hat Nein gesagt
ich habe Fußball gespielt
sie hat Tennis gespielt
ich habe ferngesehen
sie hat Radio gehört
ich bin zu Hause geblieben
sie ist in die Stadt gegangen
ich bin angekommen
sie ist ausgegangen

3 📼 Klassenkampf

Hör mal der zwölften Episode der Serie zu: ‚Sebastian wird immer noch vermisst …‘

4 📼 Aussprache

Hör zu und sprich die Wörter nach:

Freund, Freundin, Deutsch, Bedeutung, Flugzeug, heute, Neujahr, das freut mich, euer, neu, euch, Leute, neun, neunzehn, neunzig, Europa, feucht, bedeutet, Abenteuerfilm, Ungeheuer, Brieffreund, Brieffreundin.

5 📼 Zungenbrecher

Hör zu und sprich nach:
a Heute sind eure neun deutschen Flugzeuge neu und neunzig europäische Leute sitzen drin.
b Eure neunzehn deutschen Freunde und Freundinnen freuen sich auf das neue Jahr und die neun neuen Abenteuerfilme.

6 📼 Aktivurlaub in der Jugendherberge

Hör gut zu. Wer hat was gemacht?

Katja   Harald   Monika

Beispiel
Katja– j, …

Zusammenfassung

Grammatik

Verben im Perfekt		
	schwach (regelmäßig)	stark (unregelmäßig)
ich habe		
du hast		
er/sie/es hat	gearbeitet	gelesen
wir haben	gelernt	gegessen
ihr habt	gespielt	getrunken
Sie haben		
sie haben		

Verben mit sein im Perfekt	
ich bin	
du bist	
er/sie/es ist	gegangen
wir sind	gefahren
ihr seid	gekommen
Sie sind	
sie sind	

war/waren
Er/sie/es **war**
Sie **waren**

Jetzt kannst du . . .

sagen, was du in der Schule gemacht hast

Was hast du in Deutsch/Mathe/Englisch gemacht?	What have you done in German/Maths/English?
Ich habe zu zweit/in Gruppen/alleine gearbeitet.	I have worked in pairs/in groups/alone.
Ich habe Grammatik gelernt.	I have learnt grammar.
Wir haben Projekte gemacht.	We have done projects.

sagen, wie du alles gefunden hast

Was hat dir Spaß gemacht?	What have you enjoyed?
Mir hat Geschichte unheimlich Spaß gemacht.	I've really enjoyed history.
Französisch hat mir überhaupt keinen Spaß gemacht.	I really didn't enjoy French at all.
Für mich war Kunst am besten.	For me art was best.
Das war prima/interessant/nicht so toll/schrecklich.	That was great/interesting/not so great/terrible.

beschreiben, was du in deiner Freizeit gemacht hast

Was hast du in deiner Freizeit gemacht?	What have you done in your free time?
Ich habe Bücher gelesen.	I have read books.
Ich habe Briefe geschrieben.	I have written letters.
Ich habe in einem Chor gesungen.	I have sung in a choir.

über deinen Urlaub reden

Wohin bist du letztes Jahr in den Urlaub gefahren?	Where did you go on holiday last year?
Ich bin in Clausthal-Zellerfeld geblieben.	I stayed in Clausthal-Zellerfeld.
Ich bin nach Spanien/Barcelona gefahren.	I went to Spain/Barcelona.
Was hast du dort gemacht?	What did you do there?
Ich bin Rollschuh gefahren.	I went roller-skating.
Ich bin auf einer Party gewesen.	I went to a party.
Ich bin in ein Konzert gegangen.	I went to a concert.
Ich bin schwimmen gegangen.	I went swimming.

Lesepause

Wahr oder erfunden?

Lies die folgenden Geschichten und rate, ob sie erfunden oder wahr sind.

Am 1. Januar 1907 hat der Präsident der Vereinigten Staaten, Theodore (Teddy) Roosevelt, im Laufe eines Tages achttausend-fünfhundert-dreizehn Menschen die Hände geschüttelt.

Im Januar 1942 ist ein russischer Pilot ohne Fallschirm aus seinem brennenden Flugzeug gesprungen. Er ist siebentausend Meter gefallen und ist am Rande eines Tals gelandet – aber er hat überlebt! Er ist ins Tal hineingerollt und hat sich einige Knochen gebrochen – aber er hat sich wieder erholt.

1958 ist ein Citroën 2CV – eine ‚Ente‘ – mit Allradantrieb rund um die Welt gefahren. In der Mitte der Atacama-Wüste in Chile hat das Getriebe das ganze Öl verloren – aber das ist kein Problem gewesen! Man hat es mit Bananen gefüllt und das Auto ist weitergefahren und hat seine Reise um die Welt fortgesetzt.

Carlos Sandrin hat im September 1955 hundertsechs Stunden, fünf Minuten und zehn Sekunden lang ununterbrochen getanzt. Während des Tanzes hat er drei verschiedene Partnerinnen gehabt, die alle erschöpft aufgehört haben.

1953 ist Elmer T. Paré auf den Händen quer durch die Vereinigten Staaten gegangen. Die Reise hat genau drei Monate gedauert und während dieser ganzen Zeit hat Paré nur Cola getrunken und Blumenkohl gegessen. Er hat keine Handschuhe getragen und hat in Motels übernachtet – aber er hat sogar auf den Händen geschlafen!

Während der Fernsehsendung Blue Peter am 12. November 1970 haben sich hundertdrei Studenten und Studentinnen vom Bournemouth College in und auf einen VW-Käfer gesetzt. Die Studenten und Studentinnen haben mehr als sechs Tonnen gewogen und der Käfer ist dann fünf Meter weit mit ihnen gefahren.

1988 ist Aileen Barnett aus Chesterfield, England, drei Monate in einem Mülleimer in der Mitte ihres Wohnzimmers geblieben. Sie hat während der ganzen Zeit einen Bademantel getragen und nur Bratwurst und Pilze gegessen. Im Mülleimer waren auch ein Fernseher und ihr Papagei Richard.

Grammatik

1 Subject pronouns

Subject pronouns are words which, in the nominative case, show who or what is doing the action described by a verb. Every verb must have as its subject either a subject pronoun or a noun or name. The subject pronouns are:

Singular:

1st person	ich	*I*
2nd person	du	*you (friend/relative/young person)*
3rd person	er	*he, it (for a masculine noun)*
	sie	*she, it (for a feminine noun)*
	es	*it*
	man	*one (people in general)*

Plural:

1st person	wir	*we*
2nd person	ihr	*you (more than one friend/relative/young person)*
	Sie	*you (one or more strangers/older people)*
3rd person	sie	*they*

2 Verbs

Every sentence must contain one or more verb. As the verb tells us what is happening in a sentence, a sentence without a verb cannot make sense.

2.1 The infinitive

Verbs are usually listed in dictionaries or glossaries in the *infinitive*. In German, the infinitives of verbs usually end in **-en** or **-n**, and they are the form of the verb which means '*to _____* ' (e.g., *to play, to do, to live*, etc.).

2.2 The present tense: regular (weak) verbs

Verbs which follow the standard pattern are called *regular* or *weak* verbs. To use a regular verb, you take the infinitive form and remove the **-en** or **-n** from the end (what is left is called the *stem*). You then add the correct ending for the pronoun you are using (**ich**, **du**, etc.) to the stem.

– When you are using someone's name (**Thomas** or **Kirsten**) or a singular noun (**das Buch**), use the 3rd person singular (**er/sie/es**) ending.
– When you are using more than one person's name (**Peter und Ingrid**, **Anna und Gabi**) or a plural noun (**die Bücher**), use the 3rd person plural (**sie**/*they*) ending.

Here are the endings you will need to use with each subject pronoun using the example of **wohnen** (*to live*):

ich	___-e	(ich wohn**e**)
du	___-st	(du wohn**st**)
er		(er wohn**t**)
sie		(sie wohn**t**)
es	___-t	(es wohn**t**)
man		(man wohn**t**)
(*noun*)		(die Katze wohn**t**)
(*proper noun*)		(Batman wohn**t**)
wir	___-en	(wir wohn**en**)
ihr	___-t	(ihr wohn**t**)
Sie	___-en	(Sie wohn**en**)
sie	___-en	(sie wohn**en**)
(*nouns*)	___-en	(der Hund und die Katze wohn**en**)
(*proper nouns*)	___-en	(Batman und Robin wohn**en**)

2.3 The present tense: sammeln and arbeiten

Verbs which have an **e**, a **d** or a **t** near the end of their stem generally have slightly different endings, e.g. **sammeln** and **arbeiten**:

ich	samm**le**		ich	arbeite
du	sammelst		du	arbeit**e**st
er/sie/es	sammelt		er/sie/es	arbeit**e**t
wir	sammeln		wir	arbeiten
ihr	sammelt		ihr	arbeit**e**t
Sie	sammeln		Sie	arbeiten
sie	sammeln		sie	arbeiten

2.4 The present tense: irregular (strong) verbs

Some verbs are different in the 2nd and 3rd person singular (**du** and **er/sie/es**) forms only. The endings for each subject pronoun are the same as for regular verbs:

du **-st**   er/sie/es **-t**

but the vowel in the stem (the part of the infinitive left when you have removed the **-en** or **-n** from the end) changes. The most common vowel changes are from **e** to **i**, from **e** to **ie** and from **a** to **ä**, e.g:

essen:	Ich esse gern Wurst.	aber	Max **i**sst lieber Schinken.
lesen:	Ich lese ein Buch.	aber	Sie l**ie**st einen Comic.
fahren:	Ich fahre Ski.	aber	Er f**ä**hrt Rollschuh.

Here are two examples of each kind of verb:

e to i

geben (to give)		essen (to eat)	
ich	gebe	ich	esse
du	gibst	du	isst
er/sie/es}	gibt	er/sie/es}	isst

e to ie

sehen (to see)		lesen (to read)	
ich	sehe	ich	lese
du	siehst	du	liest
er/sie/es}	sieht	er/sie/es}	liest

a to ä

fahren (to go/travel)		schlafen (to sleep)	
ich	fahre	ich	schlafe
du	fährst	du	schläfst
er/sie /es}	fährt	er/sie/es }	schläft

2.5 Haben and sein

Haben (*to have*) and **sein** (*to be*) are irregular verbs. They are used frequently and they are also used together with other verbs to form the perfect tense. (See Section 2.8)

haben (to have)		sein (to be)	
ich	habe	ich	bin
du	hast	du	bist
er/sie/es	hat	er/sie/es	ist
wir	haben	wir	sind
ihr	habt	ihr	seid
Sie	haben	Sie	sind
sie	haben	sie	sind

2.6 Separable verbs

Some verbs have a preposition (e.g. **auf**, **aus**) attached to them. In the infinitive the prefix is joined to the front of the verb, e.g. **auf**wachen (*to wake up*), **auf**stehen (*to get up*), **aus**gehen (*to go out*), **zurück**kommen (*to come back*). When you use the different forms of these verbs, you separate the prefix from the verb and put it at the *end* of the sentence.

Here are some examples of separable verbs in use:

aufwachen:	Ich **wache** um halb sieben **auf**.	*I wake up at 6.30 am.*
aufstehen:	Ich **stehe** um sieben Uhr **auf**.	*I get up at 7 am.*
ausgehen:	Wann **gehst** du **aus**?	*When do you go out?*
einschlafen:	Sie **schlafen** um zehn Uhr **ein**.	*They go to sleep at 10 pm.*

2.7 Mögen

Mögen is irregular in the singular:

ich	**mag**
du	**magst**
er/sie/es	**mag**
wir	mögen
ihr	mögt
Sie	mögen
sie	mögen

2.8 The perfect tense

The perfect tense is used to talk about actions which have happened in the past and are finished. There are a variety of ways of forming the perfect tense in English:

I have gone

I did go

I went

However, in German there is only one way of forming this tense and two parts are needed:
a The *past participle* of the verb you are using;
b An *auxiliary verb* (**haben** or **sein**).

a Forming past participles
Weak (regular) verbs

To form the past participle of a weak verb, you first of all form the *stem* by removing the **-en** or **-n** from the end of the infinitive. You then add **ge-** to the beginning of the stem and **-t** or **-et** to the end of it. For example:

hör(en)	**ge**hör**t**
mach(en)	**ge**mach**t**
sammel(n)	**ge**sammel**t**
spiel(en)	**ge**spiel**t**

Strong (irregular) verbs

To form the past participle of a strong verb, you add **ge-** to the beginning of the infinitive and also the stem itself often changes. The best way to memorise past participles of strong verbs is to learn them at the same time as you learn the verb itself. Here is a list of all the strong verbs you have met so far which form their perfect tense with **haben**:

essen	*to eat*	ich habe **geg**essen
finden	*to find*	ich habe **gefu**nden
geben	*to give*	ich habe **ge**geben
lesen	*to read*	ich habe **gele**sen
nehmen	*to take*	ich habe **geno**mmen
schlafen	*to sleep*	ich habe **ge**schlafen
schreiben	*to write*	ich habe **ge**schr**ie**ben
sehen	*to see*	ich habe **ge**sehen
stehen	*to stand*	ich habe **gesta**nden
trinken	*to drink*	ich habe **getru**nken

Mixed verbs

To form the perfect tense of mixed verbs, you use a mixture (as their name implies) of the ways for forming the perfect tenses of weak and strong verbs. You still add **ge-** to the beginning of the stem. However, you then add **-t** to the end (as for a weak verb) but change the stem (as for a strong verb). For example:

bringen	ich habe **ge**br**ach**t	*to bring*
verbringen	ich habe verbr**ach**t*	*to spend (time)*
denken	ich habe **ge**d**ach**t	*to think*

*Verbs beginning with a prefix such as **ver-** do not need to have **ge-** added to their stem to form the perfect tense.

b Auxiliary verbs

Besides the past participle, you will need to use one of two verbs to form the perfect tense: **haben** (*to have*) or **sein** (*to be*). Here they are in full:

haben (*to have*)	**sein** (*to be*)
ich habe	ich bin
du hast	du bist
er/sie/es hat	er/sie/es ist
wir haben	wir sind
ihr habt	ihr seid
Sie haben	Sie sind
sie haben	sie sind

Here is a list of verbs you have met which form their perfect tense using **sein**. They are usually verbs of movement, and are all strong except **wandern**.

ankommen	*to arrive*	ich bin angekommen
bleiben	*to stay, remain*	ich bin geblieben
fahren	*to go/travel/to drive*	ich bin gefahren
gehen	*to go (on foot)*	ich bin gegangen
hinaufsteigen	*to climb up*	ich bin hinaufgestiegen
kommen	*to come*	ich bin gekommen
reisen	*to travel*	ich bin gereist
schwimmen	*to swim*	ich bin geschwommen
sein	*to be*	ich bin gewesen
wandern	*to wander, go for a walk*	ich bin gewandert

2.9 Using the perfect tense

To use the perfect tense, you take the subject pronoun or noun you want to use and add to it the correct part of **haben** or **sein**. The next step is to pick the past participle you want to use and put this right at the end of the sentence.

Note that the auxiliary verb (**haben** or **sein**) is in *second* place in the sentence.

In the last *three* of the following examples, the pronouns have moved to third place:

Er **hat** eine Tafel Schokolade **gegessen**.

Sie **sind** gestern Abend nach Berlin **gefahren**.

Gestern **hat** sie eine Tasse Tee **getrunken**.

Am Wochenende **bin** ich zu Hause **geblieben**.

Jeden Abend **habe** ich meine Hausaufgaben **gemacht**.

2.10 Word order

The verb in a main clause is usually in second place:

I **play** football.   Ich **spiele** Fußball.

However, in English, if you put another piece of information before the verb, the verb is no longer in second place.

At the weekend	*I*	***play***	*football*
1	**2**	**3**	**4**

In German, it *must* remain in *second place* (although it is not necessarily the *second word*).

This means that if there is anything *in front* of the verb (i.e. in first place), the subject has to come *after the verb* (i.e. in third place). For example:
OR

Ich	**spiele**	am Wochenende	Fußball
1	2	3	4

Am Wochenende	**spiele**	ich	Fußball
1	2	3	4

2.11 Questions

Making questions using German verbs is relatively easy. In English there are several different ways of forming questions:

> You have a sister?
>
> Have you a sister?
>
> Do you have a sister?
>
> Have you got a sister?

In German, there is only one way of forming a question. You put the verb before its subject:

Verb	Subject	
Hast	du	eine Schwester?

But just as in the first English example above (You have a sister?), you can, in speech, leave the subject and verb in that order and make the question by changing the tone of your voice: **Du hast eine Schwester?** Sometimes you will also put a question word like **was**, **wo**, **wie** at the beginning of the sentence. In this case the verb still comes before its subject.

Question word	Verb	Subject
Wo	**wohnst**	du?

3 Nouns

Nouns are words for people, places or things. In German, nouns all begin with a capital letter (in English only proper nouns, or actual names, begin with a capital letter).
Some German nouns are:

Berlin   **D**eutschland   **H**aus   **H**und   **V**olkswagen   **W**urst

3.1 Grammatical gender

All German nouns fall into one of three groups: *masculine, feminine* or *neuter.* These names do not actually have anything to do with sex or gender but are just labels to help us set the different types of words apart. This concept is known as grammatical gender, and is a feature of many languages (although not of English).
The only reliable way to learn the genders of German words is to memorise them individually and learn the gender at the same time as you learn the new word.

3.2 Cases

So far you have met three *cases* in German: *nominative, accusative* and *dative.*
The *nominative* is used for words which are the *doer* or *subject* of the action a verb is describing. In this example, the cat is the *subject* and is the *doer* of the action being described, so it is in the *nominative:*

Die Katze frisst den Wellensittich.   *The cat eats the budgie.*

The *accusative* is used for words which are the *done-to* or *object* of the action a verb is describing. In this example, the budgie is the *object* and is the *done-to* of the action being described.

Die Katze frisst **den** Wellensittich.   *The cat eats the budgie.*

In the following example, the cat is now the *object* of the sentence. The action being described is being *done to* it, so it is now in the *accusative*. The dog is the *doer* of the action, and so it is in the *nominative*:

Der Hund frisst **die** Katze.	*The dog eats the cat.*

The *dative* case is often used after some prepositions such as **auf** (*on*), **hinter** (*behind*). Here, the masculine, feminine and neuter definite articles change:

(der Tisch)	**Das** Buch ist auf **dem** Tisch.	*The book is on the table.*
(die Post)	Der Bahnhof ist neben **der** Post.	*The station is next to the post office.*
(das Schloss)	Die Kirche ist hinter **dem** Schloss.	*The church is behind the castle.*

3.3 The definite article

The definite article is the word for *the*. The definite article has to be linked to a noun (a word for a person, place or thing). In German, there are different forms of the definite article according to whether it is being used with a *masculine, feminine* or *neuter* noun (the *gender* of the noun), and also according to what *case* a noun is in. Here are all the words for the definite article which you have met:

	Masculine	Feminine	Neuter
Nominative	der	die	das
Accusative	**den**	die	das
Dative	**dem**	**der**	**dem**

Die Katze ist braun (*feminine, nominative*). – *The cat is brown.*
Ich habe **den** Kuli (*masculine, accusative*). – *I have the ball-point.*
Das Café ist neben **dem** Schloss (*neuter, dative*). – *The café is next to the castle.*

TIP Always try to learn the correct word for *the* in the nominative at the same time as you learn the noun.

3.4 The indefinite article

The indefinite article is the word for *a* or *one*. Like the definite article, the indefinite article has to be linked to a noun, and it again changes according to the gender and case of the noun it is with. Here are the words for the indefinite article which you have met:

	Masculine	Feminine	Neuter
Nominative	ein	eine	ein
Accusative	**einen**	eine	ein
Dative	**einem**	**einer**	**einem**

Hier ist **ein** Buch (*neuter, nominative*). – *Here is a book.*
Ich habe **einen** Bruder (*masculine, accusative*). – *I have a brother.*
Ich schreibe mit **einem** Bleistift (*masculine, dative*). – *I write with a pencil.*

Make sure you do not confuse these words with the almost identical word **eins**, which can only mean *one* and is for counting, as in **eins, zwei, drei ...**

3.5 The negative article: kein/keine/kein

German has a special word for *not a*. This is called the *negative article,* and just like the indefinite and definite articles it changes according to the gender and case of the noun it is with:

	Masculine	Feminine	Neuter
Nominative	kein	keine	kein
Accusative	**keinen**	keine	kein
Dative	**keinem**	**keiner**	**keinem**

Das ist **keine** Katze *(feminine, nominative).* – *That isn't (that's not) a cat.*

Ich habe **keinen** Bruder *(masculine, accusative).* – *I haven't got a brother.*

4 The possessive adjectives

The possessive adjectives (i.e. words for *my, your,* etc.) also change according to the gender and case of the noun they are with. The endings are again similar to those for **ein** and **kein**:

a Words for *my* (from *ich*)

	Masculine	Feminine	Neuter
Nominative	mein	meine	mein
Accusative	**meinen**	meine	mein
Dative	**meinem**	**meiner**	**meinem**

b Words for *your* when talking to a friend, relative or young person (from *du*)

	Masculine	Feminine	Neuter
Nominative	dein	deine	dein
Accusative	**deinen**	deine	dein
Dative	**deinem**	**deiner**	**deinem**

c Words for *his* (sein), *her* (ihr) and *its* (sein) (from *er, sie, es* respectively)

(From **er** and **es**)

	Masculine	Feminine	Neuter
Nominative	sein	seine	sein
Accusative	**seinen**	seine	sein
Dative	**seinem**	**seiner**	**seinem**

From **sie**:

	Masculine	Feminine	Neuter
Nominative	ihr	ihre	ihr
Accusative	**ihren**	ihre	ihr
Dative	**ihrem**	**ihrer**	**ihrem**

Here are some examples of possessive articles:

Meine Mutter ist hier.	*My mother is here.*
Wo ist dein Bruder?	*Where is your brother?*
Hast du deinen Kuli vergessen?	*Have you forgotten your ballpoint?*
Er hat seine Tasche vergessen.	*He has forgotten his bag.*
Rolf ist bei seiner Mutter.	*Rolf is with his mother.*
Ingrid ist bei ihrem Vater.	*Ingrid is with her father.*
Er bleibt in seinem Zimmer.	*He stays in his room.*

5 The demonstrative pronoun *dieser/diese/dieses*

Demonstrative pronouns are words like *this, that, such, the same.* The German demonstrative pronouns meaning *this* or *this one* are **dieser/diese/dieses**. The endings are similar to the ones you have met in *Section 4* above:

	Masculine	*Feminine*	*Neuter*
Nominative	dieser	diese	dieses
Accusative	**diesen**	diese	dieses
Dative	**diesem**	**dieser**	**diesem**

Was kostet **dieser** Schal?	*What does this scarf cost?*
Ich nehme **dieses** Wörterbuch.	*I'll take this dictionary*

6 Prepositions governing the dative

Prepositions are words which indicate where a thing, person or place (noun) is in relation to another (for example *under*, *next to*, *behind*, *in*, etc.). There are German prepositions which are always followed by the dative case and you have met some of these in *Lernpunkt Deutsch*:

gegenüber von
in der Nähe von
bis zu
zu

Here are some examples of these prepositions in use:

Das Café ist **gegenüber von der** Kirche.	*The café is opposite the church.*
Ich wohne **in der Nähe von einer** Großstadt.	*I live near a big town.*
Gehen Sie die Leopoldstraße entlang **bis zu meinem** Haus.	*Go along Leopoldstraße as far as my house.*

There are also some prepositions which are only *sometimes* followed by the dative. You have met:

an
hinter
in
neben
vor
zwischen

Das Kino ist **zwischen dem** Park und **der** Kirche.	*The cinema is between the park and the church.*
Der Dom ist **neben der** Post.	*The cathedral is next to the post office.*

7 Abbreviated forms of prepositions with the definite article

Some prepositions, when followed by the dative forms of the definite article **dem** or **der**, have shortened or contracted forms:

in	+	**dem**	=	**im**	(**im Haus** instead of **in dem Haus**)
an	+	**dem**	=	**am**	(**am 1. Mai** instead of **an dem 1. Mai**)
zu	+	**dem**	=	**zum**	(**zum Fluss** instead of **zu dem Fluss**)
zu	+	**der**	=	**zur**	(**zur Post** instead of **zu der Post**)
von	+	**dem**	=	**vom**	(**vom Haus** instead of **von dem Haus**)
gegenüber von	+	**dem**	=	**vom**	(**gegenüber vom Dom** instead of **gegenüber von dem Dom**)

8 Plurals

8.1 Nouns

> **REMEMBER that** singular means *one* (e.g. *a book*) and plural means *more than one* (e.g. books)

To make a noun plural in English, you normally just add an *-s* (house – *houses*; car – *cars*). However, there are exceptions to this (for example: sheep – *sheep;* mouse – *mice;* criterion – *criteria*).
In German, there are a number of ways of making plurals. As with genders, plurals are best learnt at the same time as new nouns. Here are some examples of common ways of forming the plurals of German words:

- Add an **-e** (Bleistift – Bleistift**e**)

- Add an **-n** (*usually when an* **e** *is there already*) (Kassette – Kassette**n**)

- Add **-en** (Hemd – Hemd**en**)

- Add **-s** (Kuli – Kuli**s**)

- Add an **Umlaut** to the main vowel (Bruder – Br**ü**der)

- Add an **Umlaut** to the main vowel *and* add **-er** (Buch – B**ü**ch**er**)

- Do nothing (Spitzer – Spitzer)

8.2 Words 'agreeing with' nouns

Words like **der/die/das**, **mein/meine/mein**, etc. form their nominative and accusative plurals in the same way. Every plural form of this kind of word in these two cases ends with **-e**. Here is a detailed list of the plurals of the words you have met here (except for **ein/eine/ein** which obviously do not have plurals).

Nom/Acc plural of:	Masculine	Feminine	Neuter
der/die/das	di**e**	di**e**	di**e**
kein/keine/kein	kein**e**	kein**e**	kein**e**
mein/meine/mein	mein**e**	mein**e**	mein**e**
dein/deine/dein	dein**e**	dein**e**	dein**e**
sein/seine/sein	sein**e**	sein**e**	sein**e**
ihr/ihre/ihr	ihr**e**	ihr**e**	ihr**e**
sein/seine/sein	sein**e**	sein**e**	sein**e**
dieser/diese/dieses	dies**e**	dies**e**	dies**e**

9 Comparatives and superlatives

Adjectives are words which describe nouns (e.g.das Eis ist **gut** – *the ice-cream is* **good**). Sometimes you need to use adjectives to compare two or more things. To do this you need to form the *comparative* (e.g. *better*) and superlative (e.g. *best*) of the adjectives.
To make the comparative, you add add **-er** to the end of the word and you also add an Umlaut to the first vowel sound of words with **a,o,u** or **au** (e.g. kalt - kält**er**). However, some adjectives are exceptions to this rule (e.g. trocken – trocken**er**). If the first vowel sound is not mentioned above, or if it already has an Umlaut on it, you leave it alone (e.g. feucht – feucht**er**). If you need to say *than* after it, you use the word **als**. Some comparatives are completely irregular and need

to be memorised. Here are some adjectives with their comparative forms:

feucht	feucht**er**	
gut	besser	
heiß	heiß**er**	
kalt	k**ä**l**ter**	
kühl	kühl**er**	als
trocken	trocken**er**	
viel	mehr	
warm	w**ä**rm**er**	

Here are some examples of comparatives in use:

In Australien ist es **wärmer als** in Deutschland.	*In Australia it's **warmer than** in Germany.*
Den Frühling finde ich gut, aber den Sommer **besser.**	*I like the spring but I like the summer **better**.*

To make the *superlative* forms of these adjectives, you again add an Umlaut as for the comparative. You then add **-ste** to the end of the word. The ending does not change whether you are using **der**, **die** or **das**. Again, though, there are some irregular ones (e.g. **der/die/das beste**). The following are the superlative forms of the comparatives above:

der/die/das	feucht**este**
der/die/das	heiß**este**
der/die/das	k**ä**l**teste**
der/die/das	trocken**ste**
der/die/das	w**ä**rm**ste**
der/die/das	beste
der/die/das	meiste

Here are some examples of the superlative in use:

Die **trockenste** Jahreszeit ist der Sommer.	*The **driest** season is the summer.*
Für mich ist der Winter **die beste** Jahreszeit.	*For me the winter is the **best** season.*

When you use the superlative with a verb, you change it slightly by putting **am** in front of it and an **n** on the end. For example:

am w**ä**rm**sten**
am kühl**sten**
am best**en**
am meist**en**
am schlimm**sten**
am interessant**esten**

Er findet Musiksendungen **am interessantesten**.	He finds music programmes **the most interesting**.
Sie findet Werbung **am schlimmsten**.	She finds the adverts **the worst**.

10 Gern/lieber/am liebsten

To say that you *like* or *prefer* doing an activity, or what activity you like *doing best*, you use the words **gern**, **lieber** and **am liebsten**. **Gern** and **lieber** are used immediately after the verb they are with, as follows:

Ich spiele **gern** Fußball.	I like playing football.
Ich spiele **lieber** Tennis.	I prefer playing tennis.
Ich esse **gern** Schokolade.	I like eating chocolate.
Ich esse **lieber** Pommes frites.	I prefer eating chips.

Am liebsten can go immediately before a verb (in which case, don't forget that the verb stays in second place in the sentence) or immediately after it, as follows:

Am liebsten esse ich Eis.	Most of all, I like eating ice cream.
Ich esse **am liebsten** Eis.	I like eating ice cream most of all.

11 Lieblings-

To say what your favourite things are, you can put the words **Lieblings-** on the front of the noun that you are using. Adding **Lieblings-** in this way does not change the gender of the noun (e.g. der Sänger – der **Lieblings**sänger). For example:

Mein Lieblingssänger ist Elvis Presley.	My favourite singer is Elvis Presley.
Mein Lieblingsauto ist der Cadillac.	My favourite car is the Cadillac.
Meine Lieblingsgruppe ist HEXENHAMMER.	My favourite group is Hexenhammer.

Glossary

Arbeitet zu zweit/dritt/viert.	Work in twos/threes/fours.
Beantworte folgende Fragen/die Fragen unten.	Answer the following questions/the questions below.
Befrag deine Mitschüler/innen.	Ask other students.
Benutz die Buchstaben/Notizen oben/unten.	Use the letters/notes above/below.
Beschreib … schriftlich.	Describe … in writing.
Bilde Sätze/Paare.	Make sentences/pairs.
Bitte um …	Ask for …
Buchstabiert …	Spell …
Dann …	Then …
Dein/e Partner/in/er/sie muss sagen/raten .	Your partner/he/she has to say/guess.
Der/die andere Partner/in stellt Fragen.	The other partner asks questions.
Diskutiert in der Klasse.	A class debate.
Du hörst jetzt (zehn) Dialoge.	You will now hear ten dialogues.
Du stellst Fragen.	You ask questions.
Ein/e Partner/in macht das Buch zu.	One partner shuts the book.
Entscheide(t).	Decide.
Errate.	Guess.
Fang mit … an!	Begin with … !
Folge den Spuren.	Follow the clues.
Füg (noch andere) hinzu.	Add (others).
Führe … auf .	Perform …
Füll die Lücken (mit Reimen) aus.	Fill in the gaps (with rhymes).
Hast du … richtig erraten/gemacht?	Have you guessed/done … correctly?
Hast/hattest du recht?	Are/were you right?
Hier sind einige Vorschläge.	Here are some suggestions.
Hör gut zu.	Listen (to…).
Hör … nochmal/noch einmal/wieder zu.	Listen again (to…).
Improvisiere (mit einem Partner oder einer Partnerin).	Improvise (with a partner) …
In welcher Reihenfolge … ?	In what order … ?
Kann dein/e Freund/in sagen, was stimmt?	Can your friend say what's right?
Kannst du … erraten/raten/sagen … ?	Can you guess/say …?
Kannst du den Fehler finden?	Can you find the mistake?
Kannst du dich/könnt ihr euch erinnern, wer das ist?	Can you remember who it is?
Kannst du … aufschreiben/zeichnen?	Can you write/draw …?
Kannst du/könnt ihr die Sätze richtig zusammenstellen?	Can you join the sentences together correctly?
Kannst du/könnt ihr … (ganz) aufschreiben?	Can you write down (completely) … ?
Kannst du/könnt ihr … finden/sagen … ?	Can you find/say … ?
Kannst du/könnt ihr … herausfinden?	Can you find out … ?
Kannst du/könnt ihr … schreiben/erfinden/verbessern?	Can you write/make up/correct …?
Kleb … (getrennt) an die Wand.	Stick … on the wall (separately).
Korrigiere die falschen Sätze/die Sätze, die nicht stimmen.	Correct the false sentences/the sentences which are wrong.
Lies deine Notizen/die Fotogeschichte/die Texte.	Read your notes/the photo-story/the text.
Lies/lest … vor.	Read out …
Mach(t) das (zehn)mal.	Do that (ten) times.
Mach(t) das Buch zu.	Shut the book.
Mach(t) ein Interview/ein Quiz/eine Umfrage/ eine Collage.	Do an interview/a quiz/a survey/ /a collage.
Mach(t) Notizen/eine Liste/zwei Listen.	Make notes/a list/two lists.
Mach(t)'s schneller.	Do it more quickly.
Nimm … auf Kassette (oder auf Videokassette) auf.	Record … on cassette (or on video).
Ordne … (ein).	Order …
Rate (mal).	Guess.
Rechne … aus/zusammen.	Work out/add up …
Richtig oder falsch?	True or false?

Sag … (deinem Partner/deiner Partnerin).	Say … (to your partner).
Schau/sieh dir … an.	Look at …
Sieh dir die Kästchen an.	Look at the boxes.
Schlag … (im Wörterbuch) nach.	Look up … (in the dictionary).
Schreib für jede Person den/die passenden Buchstaben in dein Heft auf.	Write the correct letters for each person in your exercise book.
Schreib einen Steckbrief/einen Artikel/ein Interview.	Write a dossier/an article/an interview.
Schreib einen Satz/(ein paar) Sätze/einen Aufsatz.	Write a sentence (a few) sentences/ an essay.
Schreib jeweils (auf), …	Write (down) … each time.
Schreib und schicke einen Brief an …	Write and send a letter to …
Schreib … auf einen Zettel.	Write … on a piece of paper.
Schreib die … auf, die zusammenpassen.	Write down the … which match up.
Schreib … in der richtigen Reihenfolge auf.	Write … in the correct order.
Schreib … in die richtige Spalte/in die Tabelle.	Write (down) in the correct column/ in the table.
Schreib (fünf) Schlüsselwörter auf.	Write (five) key words down.
Schreib sie fertig.	Write them up.
Spiel jetzt…	Now play…
Sprich … nach.	Repeat …
Stell die Satzteile zusammen.	Put the parts of the sentences together.
Stell folgende Fragen.	Ask the following questions.
Stell … vor.	Introduce.
Tausch(t) die Rollen.	Change roles.
Teste deinen Partner/deine Partnerin.	Test your partner.
Trag die Tabelle in dein/ins Deutschheft ein.	Copy the table into your German exercise book.
Übe den Dialog.	Practise the dialogue.
Verbessere die Fehler.	Correct the mistakes.
Vergiss … nicht.	Don't forget …
Vergleiche …	Compare …
Wähl (dir) … (aus).	Pick …
Wähl ein Bild und …	Pick a picture and …
Wähl eine Sprechblase/Sprechblasen.	Pick a speech bubble/speech bubbles.
Was haben … gemeinsam?	What have … got in common?
Was ist richtig?	What's right?
Was passt zusammen?	What goes together?
Was stimmt? Was stimmt nicht?	What's right? What isn't?
Was wird … schreiben?	What will … write?
Welchen/welche/welches … findest du am besten?	Which … do you think is best?
Welcher/welche/welches … ist nicht dabei?	Which … isn't there?
Welcher/welche/welches … passt zu welchem/welcher …	Which … goes with which …?
Welcher/welche/welches … wird hier/jeweils beschrieben?	Which … is being described here each time?
Wenn du Hilfe brauchst …	If you need help …
Wer hat eine positive/negative Meinung?	Who has a positive/negative opinion?
Wer ist am ehrlichsten?	Who is the most honest?
Wer ist wer?	Who's who?
Wer macht es schneller?	Who does it more quickly?
Wer macht was?	Who's doing what?
Wer meint was?	Who thinks what?
Wer rät am schnellsten …	Who can guess … the most quickly?
Wer von euch kann die meisten … beschreiben?	Which of you can describe the most …
Wer von euch schafft die meisten … ?	Which of you can manage the most …
Wer weniger Punkte hat, gewinnt!	Whoever has fewer points wins!
Wer wohnt wo?	Who lives where?
Wer/was bleibt übrig?	Who/what is left over?
Wie ist die Frage?	What's the question?
Wie schnell kannst du/könnt ihr … sagen/erraten?	How quickly can you say/guess …
Wie viele Dialoge kannst du in zwei Minuten erfinden?	How many dialogues can you make up in two minutes?
Wiederhole …	Repeat …
Wie viel kannst du über … sagen?	How much can you say about …?
Zeichne und beschrifte …	Draw and label …

Wortschatz

A

ab/bilden to depict
ab und zu now and again
der Abend(e) evening
das Abendessen evening meal
das Abendkonzert evening concert
das Abenteuer adventure
der Abenteuerfilm(e) adventure film
aber but
ab/halten to stop
die Abkürzung(en) abbreviation
ab/nehmen to lose weight
das Abzeichen(-) badge
ach oh
acht eight
die Achterbahn(en) big dipper
Achtung! watch out!
achtzehn eighteen
achtzig eighty
die Adresse(n) address
das Adressbuch address book
ähneln to resemble
ähnlich similar
die Ähnlichkeit(en) similarity
der Akkusativ accusative
der Aktivurlaub(e) action holiday
das Alarmsystem(e) alarm system
die Albtraumbeur-teilung(en) nightmare assessment
das Albtraummenü(s) nightmare menu
der Albtraumtagesablauf nightmare daily routine
alle(r/s) all
allein alone
allerlei all kinds of
alles everything
der Allradantrieb(e) four-wheel drive
der Alltag(e) weekday; daily routine
das Alphabet(e) alphabet
als than, as; when (past)
als Letztes finally

also therefore, so
alt old
ich bin 13 Jahre alt I'm 13 years old
der Altbau old building
der Altbaublock(-blöcke) old block of flats
das Alter(-) age
die Altersgruppe(n) age group
die Alternative(n) alternative
die Altstadt(städte) old town
Amerika America
der Amerikaner American (m)
amerikanisch American
die Ampel(n) traffic light
an (+ acc/dat) to; on; at
angeordnet arranged
andere(r/s) other
ändern to change
anders (als) different (from)
an/fangen to begin
angeln to fish
anhaltend continuous
an/kommen to arrive
an/probieren to try on
an/rufen to telephone
an/schauen to look at
an/sehen to look at
an/treten to begin
die Antwort(en) answer
antworten to answer
die Anzahl number, quantity
der Apfel(¨) apple
der Apfelsaft apple juice
April April
arbeiten to work
das Arbeitsblatt(-blätter) worksheet
der Ärger annoyance, trouble
die Armbanduhr(en) watch
die Art(en) type, sort
der Artikel(-) item, article
der Arzt(¨e) doctor (m)
die Assistentin(nen) assistant (f)
die Atmosphäre(n) atmosphere
auch also, too
auf on, onto; at
auf Chinesisch in Chinese

auf Wiedersehen goodbye
auf/führen to perform, act
die Aufgabe(n) exercise
sich auf/halten to dwell on
auf/hören to stop
der Aufkleber(-) sticker
auf/machen to open
auf/nehmen to record
auf/passen to pay attention
auf/quellen to swell/ to rise
aufregend exciting
auf/sagen to recite
der Aufsatz(-sätze) essay
der Aufschnitt selection of cold meats
auf/schreiben to write down
auf/stehen to get up
auf/wachen to wake up
das Auge(n) eye
August August
aus (+ dat) out, out of, from
aus/drücken to express
aus/füllen to fill out
der Ausgang(-gänge) exit
aus/geben to spend
ausgefüllt completed
aus/gehen to go out
das Ausland abroad
aus/rechnen to calculate
die Ausrede(n) excuse
aus/sehen to look, appear
außerdem besides, anyway, in addition to
die Aussprache(n) accent, pronunciation
die Ausstellung(en) display
der Austauschpartner(-) exchange partner (m)
Australien Australia
die Auswahl selection
aus/wählen to choose
der Ausweg(e) way out
auswendig off by heart
das Auto(s) car
automatisch automatically
der Autor(en) author (m)

B

das **Baby(s)** baby

die **Bäckerei(en)** baker's
backen to bake

das **Bad("er)** bath

der **Badeanzug(-anzüge)** bathing suit

der **Bademantel (mäntel)** dressing gown

die **Badewanne(n)** bath tub

das **Badezimmer(-)** bathroom

der **Bahnhof(-höfe)** railway station

bald soon

das **Balkendiagramm(e)** bar chart

ballförmig ball-shaped

die **Banane(n)** banana

das **Bananenfieber** banana fever

das **Bananenkissen** banana cushion

das **Bananenmuseum** banana museum

der **Bananenlaut-sprecher** banana loud speaker

der **Bananenschlafsack** banana sleeping bag

die **Bananensparbüchse** banana piggy bank

die **Bank(en)** bank

der **Bankräuber(-)** bank robber (m)

die **Basketballmeister-schaft(en)** basketball championship

bauen to build

der **Bauernhof(-höfe)** farm

der **Baum("e)** tree

Bayern Bavaria

beantworten to answer

bedecken to cover

bedeuten to mean

die **Bedeutung(en)** meaning

befragen to question

beginnen to start

begleiten to accompany

bei with, by, at

bei meinen Eltern at my parents' house

beide(r/s) both

beige beige

das **Beispiel(e)** example

zum Beispiel for example

bekommen to get

Belgien Belgium

beliebt popular

die **Bemerkung(en)** comment

benutzen to use

bequem comfortable

die **Berechnung(en)** calculation

der **Bericht(e)** report

berichten to report

berühmt famous

beschreiben to describe

die **Beschreibung(en)** description

beschriften to label

der **Besenstiel(e)** broom stick

besitzen to own, have

der **Besitzer(-)** owner (m)

die **Besitzerin(nen)** owner (f)

besonders especially

besser better

beste(r/s) best

bestellen to order

bestimmt definite, certain

der **Besuch(e)** visit

der **Besucher(-)** visitor

betragen to be, come to

das **Bett(en)** bed

die **Bettdecke(n)** blanket

die **Beurteilung(en)** assessment

die **Beute** loot, spoils

bevor before

bewölkt cloudy

bezahlen to pay

beziehen to cover, cloud over

beziehungsweise or

das **Bier(e)** beer

der **Bierkeller(-)** beer cellar

der **Bierkrug("e)** tankard

das **Bild(er)** picture

bilden to make

billig cheap

ich **bin** I am (from **sein**)

Biologie biology

bis till, until

bis zur up to

ein **bisschen** a little, a bit

du **bist** you are (from **sein**)

bitte please

bitte schön there you are

bitten (um) to ask (for)

die **Blase** bubble

das **Blatt("er)** piece of paper

blau blue

bleiben to stay

der **Bleistift(e)** pencil

der **Blick(e)** look, glance

es **blitzt** there is lightning

blöd stupid

blond blonde

die **Blume(n)** flower

der **Blumenkohl(e)** cauliflower

blumenkohlförmig cauliflower-shaped

die **Bockwurst(-würste)** sausage

die **Bohne(n)** bean

die **Bonbons (pl)** sweets

das **Boot(e)** boat

die **Bowlinghalle(n)** bowling alley

Brasilien Brazil

der **Bratspieß(e)** spit

die **Bratwurst(-würste)** fried sausage

brauchen to need

braun brown

brechen to break

brennen to burn

das **Brett(er)** board

der **Brief(e)** letter

der **Brieffreund/die Brieffreundin** penfriend

die **Brille(n)** glasses

das **Brot(e)** bread

das **Brötchen(-)** roll

der **Bruder(")** brother

der **Brunnen(-)** fountain

das **Buch("er)** book

die **Buchhandlung** bookshop

das **Bücherregal(e)** book shelf

der **Bücherschrank("e)** bookcase

der **Buchstabe(n)** letter

das **Buchstabenrätsel** letter puzzle

buchstabieren to spell

die **Bude(n)** stall

die **Bundesliga** national league

die **Bundesrepublik** the Federal Republic

der **Bungalow(s)** bungalow

das **Büro(s)** office

der **Bus(se)** bus

der **Busbahnhof** bus station

die **Butter** butter

C

das **Café(s)** café

der **Campingplatz(-plätze)** campsite

die **CD(s)** CD

die **Chance(n)** chance, opportunity

der **Chauffeur(e)** chauffeur (m)

die **Checkliste(n)** check list

der **Chef(s)** boss (m)

Chemie chemistry
chinesisch Chinese
die **Chips (pl)** crisps
der **Chor("e)** choir
die **Clique(n)** clique, group
die **Cola** cola
die **Collage(n)** collage
der **Comic(s)** comic strip
der **Computer(-)** computer
die **Currywurst(-würste)** curried sausage

D

da there
dabei/haben to have with you
dabei/sein to be there
der **Dachboden(-böden)** attic
dafür therefore, for that
dahinter/kommen to follow, come behind
danach afterwards
am Tag danach on the next day
Dänemark Denmark
danke thank you
danke schön thank you very much
vielen Dank many thanks
dann then, next
darauf on it/them
darauf kommen to follow
daraus out of it/them
darin in it/them
darüber about, over it/them
das the (n); that, this; it
das **Datum (Daten)** date
dauern to last
der **Dauerregen** continuous rain
davon of it/them
dein(e) your
dekorieren to decorate
denken to think
denn because, as; then
deprimiert depressed
der/die/das the (m/f/n); it
derselbe, dieselbe, dasselbe the same
deshalb therefore
der **Detektiv(e)** detective
die **Detektivserie(n)** detective series
deutsch German
Deutsch German (lang)
das **Deutschbuch** German book
das **Deutschheft** German exercise book
Deutschland Germany
deutschsprachig German-speaking

Dezember December
das **Diagramm(e)** chart, diagram
der **Dialog(e)** dialogue, conversation
die **Diät(en)** diet
dich you (acc); yourself
dicht dense
dicht stehend standing close together
dick fat
die the (f); it, she
die gleiche the same
der **Dieb(e)** thief
der **Diebstahl("e)** theft
Dienstag Tuesday
diese(r/s) this, these
das **Ding(e)** thing
dir (to) you (dat)
direkt directly
der **Diskjockey(s)** disc jockey
die **Disko(s)** disco
die **Diskomusik** disco music
DM: Deutschmark German Mark
doch however, yet, but
der **Doktor(en)** doctor (m)
der **Dom(e)** cathedral
es **donnert** it's thundering
Donnerstag Thursday
donnerstags on Thursdays
doof silly, stupid
das **Doppelbett(en)** double bed
das **Doppelhaus(-häuser)** semi-detached house
das **Dorf("er)** village
dort there
die **Dose(n)** can, tin
dransein to be your turn
du bist dran it's your turn
draußen outside
drehen to turn
drei three
dreimal three times
dreißig thirty
dreizehn thirteen
zu **dritt** in a group of three
dritte(r/s) third
der **Dschungel(-)** jungle
du you
der **Duft("e)** scent, smell
dumm stupid
dunkel dark
dünn thin
durch through
durcheinander in a mess

durchgehend thoroughly
dürfen to be allowed to
die **Dusche(n)** shower

E

echt real, really
die **Ecke(n)** corner
eher rather
ehrlich honest
das **Ei(er)** egg
gekochtes Ei boiled egg
der **Eiffelturm** the Eiffel Tower
eigen(e) own
das **Eigenschaftswort (-wörter)** adjective
eigentlich actually, really
ein(e) a, one, an
das **Einfamilienhaus(-häuser)** detached house
einförmig uniform
einige(r/s) some, several
der **Einkauf("e)** purchase
einkaufen gehen to go shopping
einmal once
ein/packen to pack
eins one
ein/schlafen to fall asleep
ein/schreiben to enrol
eintönig monotonous
ein/tragen to fill in
der **Eintritt** entry
einverstanden sein to be agreed
das **Einzelkind(er)** only child
das **Eis** ice cream
das Eiscafé ice café
die Eissorte ice cream variety
das **Eishockey** ice hockey
die **Eissporthalle(n)** ice-sports hall
der **Elefant(en)** elephant
elf eleven
die **Eltern (pl)** parents
das **Ende(n)** end
enden to end
endlich at last
endlos endless
England England
englisch English
Englisch English (lang)
das Englischbuch English book
enorm huge
entdecken to discover
die **Ente(n)** duck
enthalten to contain
entlang along

entscheiden to decide
Entschuldigung excuse me
entsprechend corresponding
entweder ... oder either ... or
die **Episode(n)** episode
er **he, it**
die **Erbse(n)** pea
erblicken to see
die **Erdbeere(n)** strawberry
das **Erdgeschoss(e)** ground floor
Erdkunde geography
erfahren to learn, experience
erfinden to invent, make up
erfunden invented
das **Ergebnis(se)** result
sich **erholen** to recover
sich **erinnern (an)** to remember
erraten to guess
erschöpft exhausted
erst first
das **Erstaunlichste** the most amazing thing
erste(r/s) first
sich **erstrecken** to stretch out
ertappen to catch (a thief)
es **it**
die **Essbude(n)** food stall
das **Essen** food
essen to eat
das **Esszimmer(-)** dining room
das **Etui(s)** pencil case
etwa about
etwas something
etwas Neues something new
euch (to) you, yourselves
euer(e) your
Europa Europe
europäisch European
das Eurohaustierquiz European pet quiz
das **Experiment(e)** experiment
extrem extremely

F

das **Fach("er)** subject
fahren to drive
die **Fahrstunde(n)** driving lesson
fallen to fall
auf die Nerven fallen to get on your nerves
der **Fallschirm(e)** parachute
falsch wrong

die **Familie(n)** family
der **Familienname(n)** surname
der **Fan(s)** fan
die **Fantasie** imagination, fantasy
die **Fantasiefamilie(n)** imaginary family
fantastisch fantastic
färben to dye, colour
die **Farbe(n)** colour
der **Farbfilm** colour film
das **Farbgedicht** colour poem
fast almost
Februar February
die **Feder(n)** feather
fehlen to be missing
der **Fehler(-)** mistake
feiern to celebrate
fein fine
das **Femininum** feminine
das **Fenster(-)** window
die **Ferien (pl)** holidays
das **Ferienhaus** holiday house
fern/sehen to watch television
das **Fernsehen** television
der **Fernseher** television
die **Fernsehsendung** television programme
der **Fernsehtag** television day
fertig ready, finished
fertig schreiben to finish writing
das **Fest(e)** festival, party
die **Festplatte(n)** hard disk
das **Fett(e)** fat
der **Fettkloß** 'fatty'
feucht damp
der **Film(e)** film
der **Filzstift(e)** felt-tipped pen
der **Finalist(en)** finalist (m)
die **Finalistin(nen)** finalist (f)
finden to find
die **Firma (Firmen)** firm, company
der **Fisch(e)** fish
das **Fitnesstraining** fitness training
das **Fitnesszentrum(-zentren)** fitness centre
flach flat
die **Flagge(n)** flag
das **Fleisch** meat
fleißig hard-working
fliegen to fly
fließend flowing

flockig fluffy
das **Flugzeug(e)** aeroplane
der **Flur(e)** corridor
der **Fluss("e)** river
folgen to follow
folgende(r/s) the following
die **Formel(n)** formula
das **Formular(e)** form
fort/setzen to continue
das **Foto(s)** photo
die **Fotogeschichte** photo story
das **Fotoalbum** photo album
die **Frage(n)** question
Fragen stellen to ask questions
fragen (nach) to ask (for)
der **Franken(-)** franc
Frankreich France
Französisch French
die **Frau(en)** woman; Mrs
frei haben to have time off
Freitag Friday
freitags on Fridays
die **Freizeit** free time
die Freizeitmischung free time mixture
die Freizeitübersicht free time overview
die Freizeitumfrage free time survey
fressen to eat (of animals)
das **Frettchen(-)** ferret
freuen to be pleased
das freut mich I'm pleased
der **Freund(e)** friend (m)
die **Freundin(nen)** friend (f)
freundlich friendly
es **friert** to freeze
die **Frikadelle(n)** rissole
früh early
der **Frühling** spring
das **Frühstück(e)** breakfast
der Frühstückstisch breakfast table
frühstücken to have breakfast
sich **fühlen** to feel
füllen to fill
fünf five
fünfzehn fifteen
fünfzig fifty
funktionieren to work
für for
furchtbar terrible
der **Fußball** football

das **Fußballhemd** football shirt
der **Fußballplatz** football ground
das **Fußballstadion** football stadium
der **Fußboden** floor
der **Fußgänger(-)** pedestrian
die **Fußgängerzone** pedestrian zone

G

ganz quite; whole
gar nicht not at all
die **Garage(n)** garage
der **Garten(¨)** garden
das **Gästezimmer(-)** guest room
das **Gebäck(e)** biscuits
der **Gebäudeplan(-pläne)** building plan
geben to give
 gib her! give it here!
der **Geburtsort(e)** place of birth
der **Geburtstag(e)** birthday
das **Geburtstagsgeschenk** birthday present
die **Geburtstagskarte** birthday card
die **Geburtstagsparty** birthday party
das **Gedächtnis(se)** memory
das **Gedächtnisspiel** memory game
der **Gedanke(n)** thought
das **Gedicht(e)** poem
Sehr geehrter Herr Dear Sir,
Sehr geehrte Dame Dear Madam,
gefallen to like
 das gefällt mir (nicht) I (don't) like that
das **Gefängnis(se)** prison
gefleckt spotty
die **Gegend(en)** area
im **Gegensatz zu** as opposed to
gegenüber opposite
gehen to go
 das geht (nicht) that's (not) OK
 wie geht's? how are you?
 es geht mir gut I'm well
gehören to belong
geil great, cool
gelb yellow
das **Geld(er)** money
der **Geldmangel** lack of money

die **Geldsumme** amount of money
gemeinsam together
 etwas gemeinsam haben to have something in common
die **Gemeinsamkeit** common ground
gemischt mixed
das **Gemüse(-)** vegetables
genau exactly
genauso just as
genug enough
gerade straight, exactly
geradeaus straight ahead
gern(e) with pleasure
 ich spiele gern Tennis I like playing tennis
 ich hätte gern ein Eis I'd like an ice cream
der **Gesamtpreis(e)** total price
die **Gesamtschule(n)** comprehensive school
die **Gesamtzeit(en)** complete time
das **Geschäft(e)** shop
geschehen to happen
das **Geschenk(e)** present, gift
die **Geschichte(n)** history; story
das **Geschlecht(er)** sex
geschmückt made-up, decorated
die **Geschwister (pl)** brothers and sisters
die **Gesichtsform(en)** face shape
das **Gespräch(e)** conversation
gesprochen spoken
gestern yesterday
 gestern Abend last night
gestohlen stolen
gesund healthy
das **Getränk(e)** drink
getrennt seperate
das **Getriebe(-)** gears
das **Gewicht(e)** weight
gewinnen to win
der **Gewinner(-)** winner (m)
or: die **Gewinnerin(nen)** winner (f)
das **Gewitter(-)** thunder storm
gewöhnlich usually
es **gibt** there is/are (from **geben**)
die **Gitarre(n)** guitar
das **Glas(¨er)** glass
glatt smooth, straight
die **Glatze(n)** bald head

glauben to believe
gleich the same; at once
das **Glossar(e)** glossary
glücklich happy
glücklicherweise luckily
das **Gold** gold
golden gold
der **Goldfisch(e)** goldfish
der **Gott(¨er)** god
 Gott sei Dank! Thank God!
der **Grad(e)** degree
die **Graffititafel(n)** graffiti board
die **Grammatik** grammar
gratis free
grau grey
grausam cruel, horrible
greifen to grab
Griechenland Greece
grob rude, coarse
der **Groschen** groschen
groß big
 im Großen und Ganzen on the whole
Großbritannien Great Britain
die **Großmutter(-mütter)** grandmother
die **Großstadt(-städte)** big city
der **Großvater(-väter)** grandfather
grün green
die **Gruppe(n)** group
die **Gruppenarbeit** group work
das **Gruppenfoto** group photo
der **Gruppenzwang** group pressure
grüßen to greet
 grüß dich! hello
 Grüße greetings (on a letter)
 mit freundlichen Grüßen with best wishes
gucken to watch
die **Gurke(n)** cucumber
gut good
 guten Morgen good morning
 guten Tag hello

H

das **Haar(e)** hair
haben to have
der **Hagel** hail
es **hagelt** it's hailing

das **Hähnchen(-)** chicken
halb half
  es ist halb vier it's half
  past three
hallo hello
halten (von) to think (of)
der **Hamburger(-)** hamburger
der **Hamster(-)** hamster
die **Hand("e)** hand
  die Handarbeiten crafts
  der Handball handball
  der Handschuh glove
hassen to hate
ich **hätte gern** I'd like (from
  haben)
häufig often, frequently
die **Häufigkeit** frequency
die **Hauptstraße(n)** High Street
das **Haus("er)** house
die **Hausaufgabe(n)**
  homework
  die Hausaufgaben-
  umfrage homework
  survey
das **Haustier(e)** pet
  die Hauswirtschaft home
  economics
das **Heft(e)** exercise book
die **Heide(n)** moor
der **Heiligabend** Christmas Eve
heiß hot
heißen to be called
das heißt that is
helfen to help
hell light
heraus/finden to find out
heraus/kriegen to get out
heraus/nehmen to take
  out
heraus/suchen to look out
der **Herbergsvater("')** warden
  (m)
der **Herbst** autumn
der **Herd(e)** stove
herein/kommen to come
  in, enter
der **Herr(en)** man; Mr
  die Herrenartikel-
  abteilung
  men's department
heute today
  heute Morgen
  this morning
hier here
die **Hilfe** help
hilfsbereit helpful
der **Himmel** sky
hinauf up

hinauf/steigen to climb up
hinein/rollen to roll in
hinter (+ acc/dat) behind
hin/weisen auf to point to
hinzu/fügen to add
die **Hitliste(n)** hit list
die **Hitparade(n)** hit parade
die **Hitze(n)** heat
das **Hobby(s)** hobby
der **Hobbyartikel** article on
  hobbies
der **Hobbybrief** letter about
  hobbies
hoch (hohe/r/s) tall, high
das **Hockeyhemd(en)** hockey
  shirt
Holland Holland
das **Holz("er)** wood
der **Honig** honey
höchstens at the most
hören to hear
der **Horrorfilm(e)** horror film
das **Hotel(s)** hotel
hübsch pretty
der **Hund(e)** dog
hundert hundred
hungrig hungry
die **Hustenbonbons (pl)**
  cough sweets
der **Hut ("e)** hat

I

ich I
ideal ideal
die **Idee(n)** idea
igitt yuck
ihm (to) him (dat)
ihn him (acc)
Ihnen (to) you
ihnen (to) them
ihr you; her; (to) her
illustrieren to illustrate
immer always
  immer noch still
improvisieren to improvise
in in
die **Infinitivform(en)** infinitive
  form
Informatik information
  technology
die **Information(en)**
  information
  das Informations-
  material
  information material
insgesamt all together
interessant interesting
das **Interesse(n)** interest

sich interessieren (für) to
  be interested (in)
international international
das **Interview(s)** interview
interviewen to interview
investieren to invest
irgendein some
irgendwo somewhere
Irland Ireland
er **ist** he is (from **sein**)
er **isst** eats (from **essen**)
Italien Italy

J

ja yes
die **Jacke(n)** jacket
das **Jahr(e)** year
  die Jahresübersicht
  review of the year
  die Jahreszeit season
  das Jahrhundert
  century
Januar January
die **Jeans (-)** jeans
jede(r/s) every, each,
  everyone
jedes Mal each time
jedoch however
jegliche(r/s) any
jemand somebody
je nach according to
jetzt now
jeweils at any one time;
  each
der **Job(s)** job
joggen to jog
der **Jogurt(s)** joghurt
die **Jugendherberge(n)** youth
  hostel
der **Jugendklub(s)** youth club
der **Jugendliche(n)** youth,
  teenager
das **Jugendzentrum(-zentren)**
  youth centre
Juli July
jung young
der **Junge(n)** boy
Juni June
das **Juwel(en)** jewel

K

die **Klassenfahrt(en)** class trip
der **Kaffee(s)** coffee
kalt cold
die **Kamera(s)** camera
der **Kamerad(en)** comrade,
  friend (m)
das **Kammermädchen(-)**
  chamber maid

der **Kanal("e)** canal; TV channel

der **Kanarienvogel(-vögel)**
canary

der **Kandidat(en)** candidate (m)

das **Kaninchen(-)** rabbit

ich **kann** (from **können**) I can

der **Kapitän(e)** captain (m)

das **Kapitel(-)** chapter

kaputt broken

der **Karnevalszug(-züge)**
carneval procession

die **Karotte(n)** carrot

der Karottenkuchen
carrot cake

der Karottensaft
carrot juice

die Karottensuppe
carrot soup

die **Karte(n)** card; map

Karten spielen to play
cards

die **Kartoffel(n)** potato

die Kartoffelchips
potato crisps

das **Karussell(s)** merry-go-round

der **Käse** cheese

die **Kasse(n)** cash desk, ticket
office

die **Kassette(n)** cassette

der **Kasten(")** box

das **Kästchen(-)** box

die **Katze(n)** cat

kaufen to buy

der **Kaugummi(s)** chewing gum

kaum hardly

kein(e) no, none, not a

der **Keks(e)** biscuit

der **Keller(-)** cellar

kennen to know

der **Ketschup** ketchup

die **Kette(n)** chain

das **Kilo(s)** kilo

der **Kilometer(-)** kilometre

das **Kind(er)** child

das Kinderprogramm/
die Kindersendung
children's programme

der Kindertag
children's day

das **Kino(s)** cinema

der **Kiosk(e)** kiosk

die **Kirche(n)** church

die **Klammer(n)** paperclip

die **Klamotten (pl)** clothes,
gear

klasse excellent

die **Klasse(n)** class

die Klassendiskussion

class debate

der **Klassenkamerad/**
die **Klassenkameradin**
fellow pupil

der **Klassenkampf**
class struggle

die **Klassenumfrage**
class survey

das **Klassenzimmer**
classroom

klassische Musik classical
music

klauen to steal, pinch

das **Klavier(e)** piano

kleben to stick

das **Kleid(er)** dress

die **Kleider (pl)** clothes

der **Kleiderschrank("e)**
wardrobe

die **Kleidung** clothes,
costume

klein small

das **Kleingeld** change

das **Klima(s)** climate

das **Klo(s)** loo

der **Klotz("e)** great lump

der **Klub(s)** club

knapp scarce; almost

der **Knoblauch** garlic

der **Knochen(-)** bone

der **Koch("e)** cook (m)

kochen to cook

Köln Cologne

die **Kombination(en)**
combination

der **Komfort** comfort, luxury

der **Komiker(-)** comedian

komisch strange, funny

kommen to come

der **Kommentar(e)** comment

der **Kommissar(e)**
commissioner (m)

die **Komödie(n)** comedy

komplett complete(ly)

kompliziert complicated

die **Konditorei(en)** cake shop

der **König(e)** king

der **Konkurrent(en)** rival (m)

die **Konkurrentin(nen)** rival (f)

können can, to be able to

das **Kontinentalklima(s)**
continental climate

konturlos shapeless

das **Konzert(e)** concert

die Konzerthalle concert
hall

der **Kopfhörer(-)** earphones

die **Kopie(n)** copy

korrekt correct(ly)

korrigieren to correct

der **Kosmetikartikel(-)** make-
up

die **Kostbarkeit(en)** precious
item

kosten to cost

kostümiert dressed-up

krank ill

das **Krankenhaus(-häuser)**
hospital

der **Kreis(e)** circle

das Kreisdiagramm
pie chart

die **Kreuzung(en)** crossroads

der **Krieg(e)** war

der Kriegsfilm war film

der **Krimi(s)** thriller, crime series

das **Krokodil(e)** crocodile

der **Kronleuchter(-)** chandelier

die **Küche(n)** kitchen

der **Kuchen(-)** cake

kühl cool

der **Kühlschrank("e)** fridge

der **Kuli(s)** biro

der **Kunde(n)** customer (m)

die **Kunst** art

kurz short

L

der **Laden(")** shop

der Ladendieb shoplifter

das **Land("er)** country

landen to land

die **Landkarte(n)** map

lang long

langweilig boring

die **Langeweile** boredom

lassen to leave

etwas bauen lassen
to have something built

im **Laufe** during

die **Laune(n)** mood

launisch moody

laut loud

leben to live

das **Leben** life

die Lebensmittel
groceries, food

der Lebensraum
biosphere

lecker tasty

der **Lehrer(-)** teacher (m)

die **Lehrerin(nen)** teacher (f)

die Lehrerbeurteilung
(en) teacher's assessment

leiden to bear

leiden (an) to suffer (from)

leider unfortunately

lernen to learn
der **Lernpunkt(e)** learning point
der **Lerntipp(s)** learning tip
lesen to read
die **Lesepause(n)** reading break
der **Leser(-)** reader (m)
die **Leserin(nen)** reader (f)
letzte(r/s) last
die **Leute (pl)** people
Liebe/r Dear (on a letter)
lieben to love
lieber rather
das mache ich lieber
I prefer doing that
Lieblings- favourite
am liebsten best of all
das **Lied(er)** song
liegen to lie
lies read (from **lesen**)
die **Limonade** lemonade
das Limo lemonade
das **Lineal(e)** ruler
linke(r/s) left
links (on the) left
der **Lippenstift(e)** lipstick
die **Liste(n)** list
lockig curly
das **Logikspiel(e)** logic game
logisch logical
los **geht's** off you go
was ist los? what's up?
what's the matter?
es ist nichts los
there's nothing happening
lösen to solve
die **Lösung(en)** solution
die **Lücke(n)** gap
lügen to lie
Lust haben to want to
lustig funny

M

machen to do, make
das macht Spaß
that's fun
das **Mädchen(-)** girl
ich **mag** I like (from **mögen**)
das **Magazin(e)** magazine
die **Magersucht** anorexia
die **Mahlzeit(en)** mealtime
Mai May
die **Majonäse(n)** mayonnaise
sieh **mal** look
malen to paint, draw
man one, you
der **Manager(-)** manager (m)
die **Managerin(nen)** manager (f)

manche(r/s) some
manchmal sometimes
der **Mann("er)** man
das **Märchenschloss("er)**
fairy-tale castle
die **Mark(-), DM** German mark
der **Markenname(n)** brand name
das **Markenprodukt(e)**
branded product
der **Marktplatz(-plätze)**
market square
die **Marmelade(n)** jam
März March
das **Maskulinum** masculine
die **Mathe** maths
das Mathebuch maths book
der Mathelehrer/
die Mathelehrerin
maths teacher
die **Mathematik** mathematics
die **Maus("e)** mouse
das **Meerschweinchen(-)**
guinea pig
mehr (als) more (than)
mein(e) mine
meinen to think
die **Meinung(en)** opinion
meiste(r/s) most
die meistgeklauten
stolen the most often
meistens mostly
melden to report
die **Menge(n)** lots
jede Menge loads (of)
der **Mensch(en)** person
Mensch! gosh!
das **Menü(s)** menu
sich **merken** to remember
das **Messing** brass
das **Metall(e)** metal
der **Meter(-)** metre
mich me (acc); myself
die **Milch** milk
die **Million(en)** million
der Millionenumsatz
million turnover
die **Miniatur(en)** miniature
das **Mineralwasser** mineral water
minus minus
die **Minute(n)** minute
mir (to) me (dat)
mir ist es egal
I don't mind
mit with
mit/bringen to bring along

miteinander with each other
das **Mitglied(er)** member
mit/kommen to come along
mit/nehmen to take (with you)
der **Mitschüler(-)** classmate (m)
die **Mitschülerin(nen)**
classmate (f)
der **Mittag** midday
das **Mittagessen(-)** lunch
die **Mitte(n)** middle, centre
mittelalterlich from the Middle Ages
mitten in the middle of
die **Mitternacht** midnight
Mittwoch Wednesday
das **Möbelstück(e)** piece of furniture
ich **möchte** I'd like (from **mögen**)
die **Mode(n)** fashion
das Modegeschäft
fashion boutique
das **Modell(e)** model
das Modellauto
model car
das Modellflugzeug
model aeroplane
modern modern
modisch fashionable
mögen to like
die **Möhre(n)** carrot
der **Mokka(s)** mocha
das Mokkaeis
mocha ice-cream
der **Moment(e)** moment
Moment mal
just a minute
Montag Monday
der **Mord(e)** murder
der **Mörder(-)** murderer (m)
die **Mörderin(nen)** murderer (f)
der **Morgen(-)** morning
guten Morgen
good morning
morgen tomorrow
morgens in the mornings
moslemisch moslem
das **Motel(s)** motel
das **Motiv(e)** motive
der **Motor(en)** engine
der Motorsport
motor sport
müde tired
der **Mülleimer(-)** dustbin
München Munich

die Musik(en) music
die Musiksendung music broadcast
das Müsli(s) muesli
müssen to have to, must
das Muster(-) pattern
die Mutter(¨) mother
die Mütze(n) cap, hat

N

na (ja) well
nach after
es ist fünf nach zwei it's five past two
die Nachbildung(en) reproduction
nach/denken to think about
der Nachmittag(e) afternoon
nachmittags in the afternoons
die Nachrichten (pl) news
nach/schlagen to look up
das Nachsitzen(-) detention
nächste(r/s) next
die Nacht(¨e) night
der Nachtisch(e) dessert
in der Nähe von near
der Name(n) name
nass wet
natürlich of course, naturally
die Natur nature
die Naturwissenschaft science
neben next to
neblig foggy
nee no
negativ negative
nehmen to take
nein no
die Nervensäge(n) pain in the neck
nervös nervous
nett nice
neu new
der Neubau new building
Neujahr New Year
neun nine
neunzehn nineteen
neunzig ninety
das Neutrum neuter
nicht not
nicht gerade not exactly
nicht mehr no longer
die Nichte(n) niece
nichts nothing

nie never
niemand nobody
noch still
noch etwas something more
noch besser even better
noch nicht not yet
nochmal again
der Nominativ nominative
normal normal
normalerweise normally
nötig necessary
die Notiz(en) note
November November
der Nudelsalat(e) pasta salad
null nil
die Nummer(n) number
nun now
nur (noch) only
die Nuss (¨e) nut

O

ob whether
oben above
oberseits on the top
der Oberst(en) colonel
das Objekt(e) object
das Obst fruit
oder or
oft often
ohne without
der Ohrring(e) earring
Oktober October
das Oktoberfest October Festival (in Munich)
das Öl(e) oil
die Oma(s) gran
der Onkel(-) uncle
der Opa(s) granddad
die Oper(n) opera
das Opernhaus opera house
die Orange(n) orange
orange orange
ordnen to put in order, organise
die Orientierung(en) orientation
der Ort(e) place
Österreich Austria
der Ostersonntagmorgen Easter Sunday morning

P

das Paar(e) pair
ein paar several
der Papagei(en) parrot
das Papier(e) paper
das Paradies(e) paradise

der Partner(-) partner (m)
die Partnerin(nen) partner (f)
die Partnerschule partner school
die Partnersuche search for a partner
das Partner-vermittlungsbüro dating agency
die Party(s) party
pass auf! look out
passen to suit, fit
passend matching
die Pause(n) break
das Perfekt perfect tense
perfekt perfect
die Person(en) person
der Personalausweis(e) ID card
die Persönlichkeit(en) personality
der Pfennig(e) pfennig
das Pferd(e) horse
Pfingsten Whitsun
die Pfingstkirmes Whitsun fair
Physik physics
der Pilot(en) pilot (m)
der Pilz(e) mushroom
der Pinguin(e) penguin
die Pizza(s) pizza
der Plan(¨e) plan
der Platz(¨e) position, place
das Plätzchen(-) biscuit
plaudern to chat
der Plural(e) plural
die Pluralform plural form
das Plüschtier(e) cuddly toy
die Polizei police
die Pommes (frites) (pl) chips
positiv positive
die Post(Postämter) post, post office
das Poster(s) poster
die Postkarte(n) postcard
die Pralinen (pl) pralines, chocolates
der Präsident(en) president
der Preis(e) price
die Preisliste price list
die Preiselbeersoße(n) cranberry sauce
prima great
pro per
einmal pro Woche once a week
das Problem(e) problem

das **Produkt(e)** product
das **Programm(e)** programme
das **Projekt(e)** project
der **Prominente(n)** VIP (m)
das **Prozent(e)** percent
der **Pudding(s)** blancmange
der **Pullover(-)** jumper
der **Punkt(e)** point
pünktlich on time, punctual

Q

die **Qualität(en)** quality
quer durch right through
das **Quiz(-)** quiz

R

der **Rabatt(e)** discount
die **Rache** revenge
das **Rad("er)** bike; wheel
Rad fahren to cycle
der **Radiergummi(s)** eraser
das **Radio(s)** radio
    der **Radiokanal**
    radio channel
    die **Radiosendung**
    radio programme
der **Rand("er)** edge
der **Rappen** Swiss centime
raten to advise
das **Ratespiel(e)** guessing game
das **Rathaus(-häuser)** town
    hall
das **Rätsel(-)** puzzle
der **Rauch** smoke
der **Raum("e)** room; space
das **Raumschiff(e)** space ship
die **Reaktion(en)** reaction
die **Rechnung(en)** bill
recht haben to be right
rechte(r/s) right
    rechts (on the) right
rechteckig rectangular
reden to talk
das **Regal(e)** shelves
regelmäßig regularly
der **Regen** rain
    der **Regenwald**
    rain forest
    die **Regenwolke**
    rain cloud
regnerisch rainy
es **regnet** it's raining
die **Regierung(en)** government
das **Regionalprogramm(e)**
    regional programme
das **reicht** that's enough
die **Reihenfolge(n)** order
das **Reihenhaus("er)** terraced
    house

der **Reim(e)** rhyme
sich **reimen auf** to rhyme with
rein into
    ich will rein I want
    to come in
die **Reise(n)** journey
relativ relatively
Religion religious studies
der **Rest(e)** rest
das **Restaurant(s)** restaurant
richtig right, correct
die **Richtung(en)** direction
riesig huge
das **Rindfleisch** beef
der **Ring(e)** ring
das **Roggenbrot(e)** rye bread
die **Rolle(n)** role
    das **Rollenspiel** role-play
der **Rollkragenpulli(s)** polo
    neck jumper
der **Rollschuh(e)** roller-skate
    Rollschuh fahren
    to roller-skate
rosa pink
der **Rosenmontag** Monday
    before Lent
rot red
der **Rückblick(e)** look back
rückwärts backwards
die **Ruhe** peace
ruhig quiet
rund round
    rund um die Welt
    around the world
die **Runde(n)** round
rundlich round
russisch Russian

S

die **Sache(n)** thing
Sachsen Saxony
der **Saft("e)** juice
sagen to say
der **Salat** salad
    grüner Salat lettuce
sammeln to collect
Samstag Saturday
der **Samstag Nachmittag**
    Saturday afternoon
    samstags on Saturdays
der **Sand(e)** sand
der **Sänger(-)** singer (m)
die **Sängerin(nen)** singer (f)
satt full
der **Satz("e)** sentence
    der **Satzteil** sentence part
sauer in a bad mood
das **Sauerkraut**
    pickled cabbage

das **Schach** chess
schade what a pity
die **Schäfchenwolken (pl)**
    cotton-wool clouds
schaffen to create
der **Schal(s)** scarf
der **Schalter(-)** counter
das **Schaschlik(s)** kebab
schattenlos shadowless
schauen to look
der **Schauer(-)** shower
das **Schaufenster(-)** shop
    window
die **Scheibe(n)** slice
scheinen to appear; to
    shine
scheußlich terrible
die **Schichtwolken (pl)**
    layered clouds
schicken to send
der **Schilling(e)** Austrian shilling
die **Schlacht(en)** battle
schlafen to sleep
die **Schlaghose(n)** flared
    trousers
das **Schlafzimmer(-)** bedroom
der **Schlankheitswahn** diet
    mania
schlecht bad
schleierartig hazy
die **Schleierwolken (pl)** hazy
    clouds
schließlich finally
schlimm bad
der **Schlittschuh(e)** ice-skate
das **Schloss ("er)** castle
das **Schlüsselwort ("er)** key
    word
schmecken to taste
sich **schminken** to put on make-
    up
der **Schmuck** jewellery
schmücken to decorate
der **Schnee** snow
    der **Schneefall** snowfall
es **schneit** it's snowing
schnell quick
der **Schnellimbiss(-e)** snack
    bar
der **Schnurrbart(-bärte)**
    moustache
die **Schokolade(n)** chocolate
    die **Schokoladensoße**
    chocolate sauce
schon already
    schon wieder again
schön beautiful
der **Schornstein(e)** chimney

Schottland Scotland
schrecklich dreadful
schreiben to write
das **Schreibpapier(e)** writing paper
der **Schreibtisch(e)** desk
die **Schreibwaren (pl)** stationery
schriftlich in writing
der **Schuh(e)** shoe
  das **Schuhgeschäft** shoe shop
die **Schuld** guilt
die **Schule(n)** school
  die **Schulaufgabe** school work
  der **Schulbeginn** school start
  das **Schulfach** school subject
  die **Schulklasse** school class
  der **Schultag** school day
  die **Schultasche** school bag
  der **Schüler(-)** pupil (m)
  die **Schülerin(nen)** pupil (f)
  die **Schülerbeurteilung** pupil's assessment
die **Schulter(n)** shoulder
die **Schüssel(n)** bowl
schütteln to shake
die **Schutzfolie(n)** protective cover
schwach weak
die **Schwäche(n)** weakness
schwarz black
  das **schwarze Brett** blackboard
schweben to sway
das **Schweinekotelett(s)** pork chop
die **Schweiz** Switzerland
schwer heavy
die **Schwester(n)** sister
schwierig difficult
die **Schwierigkeit(en)** difficulty
  in **Schwierigkeiten geraten** to get into difficulties
das **Schwimmbad("er)/die Schwimmhalle(n)** swimming pool
schwimmen to swim
sechs six
sechzehn sixteen
sechzig sixty

sehen to see
sehr very
sei be (from **sein**)
sein to be
sein(e) his; its
die **Seite(n)** page; side
die **Sekunde(n)** second
selbe(r/s) same
selber/selbst I myself, you yourself, it itself
der **Selbstmord(e)** suicide
selten rarely
seltsam strange
die **Sendung(en)** programme, broadcast
der **Senf(e)** mustard
September September
  der **Septembertag** September day
die **Serie(n)** series
servus hello; goodbye
der **Sessel(-)** armchair
sich **setzen** to sit down
sich himself, herself, itself, themselves
sicher sure; safe
sicherlich certainly
sichtbar visible
Sie you
sie she; it; they
sieben seven
siebzig seventy
die **Siegerin(nen)** winner (f)
sieh dir ... an look at ... (from **an/sehen**)
wir **sind** we are (from **sein**)
singen to sing
der **Singular** singular
sitzen to sit
die **Skibrille(n)** ski glasses
das **Skifahren** skiing
die **Skijacke** ski jacket
so so
  so etwas/sowas something like that
das **Sofa(s)** sofa
sogar even
so genannt so-called
solange as long as
sollen ought to, should
der **Sommer(-)** summer
  der **Sommerschlussverkauf** summer sale
  die **Sommerwolken** summer clouds
das **Sonderangebot(-)** special offer

sondern but
Sonnabend Saturday
die **Sonne(n)** sun
  die **Sonnenbrille** sunglasses
  der **Sonnenschein** sunshine
sonnig sunny
Sonntag Sunday
  sonntags on Sundays
sonst otherwise
  sonst noch etwas? anything else?
die **Sorte(n)** type, sort
so viel so many
soweit so far, as far
die **Spalte(n)** column
Spanien Spain
spanisch Spanish
der **Spaß("e)** fun
  das **macht Spaß** that's fun
spät late
  wie spät ist es? what's the time?
spazieren gehen to go for a walk
der **Speck(e)** bacon
die **Speisekarte(n)** menu
der **Spiegel(-)** mirror
spielen to play
die **Spielshow** games show
die **Spielwaren (pl)** toys
spinnen to be joking
der **Spitzer(-)** pencil sharpener
der **Sport(-)** sport
  Sport treiben to do sport
  die **Sportart** type of sport
  der **Sportler** sportsman
  die **Sportmöglichkeiten(pl)** sports facilities
  die **Sportsachen(pl)** sports things
  die **Sportschuhe(pl)** trainers
  die **Sportsendung** sports programme
  das **Sportzentrum** sports centre
sportlich sporty
die **Sprache(n)** language
die **Sprechblase(n)** speech bubble
sprechen to speak
springen to jump
der **Sprühregen** drizzle
die **Spüle(n)** sink

der **Spültisch** sink unit
die **Spur(en)** track
das **Squashspiel(e)** squash game
stabil stable
das **Stadion (Stadien)** stadium
die **Stadt("e)** town, city
die **Stadthalle** town hall
die **Stadtmitte** town centre
der **Stadtrand** outskirts
der **Stammbaum(-bäume)** family tree
ständig constantly
stark strong
die **Statistik(en)** statistics
statt/finden to take place
das **Steak(s)** steak
der **Steckbrief(e)** dossier
stecken to put, place
stehen to stand
stehen auf to like, fancy
stehen bleiben to stand still
stehlen to steal
steigen to rise, climb
steil steep
der **Stein(e)** stone
die **Stereoanlage(n)** hi-fi
der **Stiefbruder(")** step-brother
die **Stiefmutter(")** step-mother
die **Stiefschwester(n)** step-sister
der **Stil(e)** style
die **Stimme(n)** voice
stimmen to be right
das **stimmt (nicht)** that's (not) right
stinklangweilig really boring
der **Stock(-)/das Stockwerk(e)** floor, storey
der **Stollen(-)** German Christmas cake
stören to disturb
der **Strand("e)** beach
der **Strandklub** beach club
die **Straße(n)** street
streng strict
im **Stress sein** to be stressed
stricken to knit
der **Strudel(-)** strudel
strukturlos unstructured
das **Stück(e)** piece
das **Stückchen(-)** small piece
der **Student(en)** student (m)
die **Studentin(nen)** student (f)

der **Stuhl("e)** chair
die **Stunde(n)** hour; lesson
stundenlang hours long
der **Stundenplan** timetable
das **Subjekt(e)** subject
suchen to look for
super toll fantastic
die **Suppe(n)** soup
die **Süßigkeiten (pl)** sweets
das **Symbol(e)** symbol
sympathisch nice
die **Szene(n)** scene

T

das **T-Shirt(s)** T-shirt
die **Tabelle(n)** table
das **Tablett(e)** tray
die **Tafel(n)** board
der **Tag(e)** day
guten Tag hello
das **Tagebuch** diary
der **Tagesablauf** daily routine
die **Tagesschau** news programme
die **Talk-Show(s)** chat show
das **Tal("er)** valley
der **Tanz("e)** dance
tanzen to dance
die **Tasche(n)** bag; pocket
der **Taschenrechner(-)** calculator
die **Tasse(n)** cup
die **Tätigkeit(en)** activity
tauschen to swap
das **Tausend(e)/tausend** thousand
der **Tee(s)** tea
der **Teenager(s)** teenager
der **Teil(e)** part
teilweise partly, sometimes
das **Telefongespräch(e)** telephone call
telefonieren to telephone
die **Telefonnummer(n)** telephone number
der **Teller(-)** plate
die **Temperatur(en)** temperature
das **Tennis** tennis
der **Teppich(e)** carpet
testen to test
teuer expensive
der **Text(e)** text
die **Textilien (pl)** textiles
das **Theater(-)** theatre
das **Theaterstück** play
das **Thema (Themen)** topic

tief deep
das **Tiefgeschoss(-e)** basement
der **Tiefkühltruhe(n)** freezer
das **Tier(e)** animal
der **Tierarzt** vet
der **Tierbesitzer** pet owner
der **Tierfilm** animal film
das **Tiergeräusch** animal noise
das **Tiergeschäft** pet shop
die **Tierklinik** animal clinic
der **Tiger(-)** tiger
der **Tipp(s)** hint, tip
der **Tisch(e)**
die **Tischlampe** table lamp
der **Toast(e)** toast
todlangweilig deadly dull
die **Toilette(n)** toilet
tolerant tolerant
toll great
die **Tomate(n)** tomato
die **Tomatensuppe** tomato soup
die **Tonne(n)** ton
der **Tourist(en)** tourist (m)
tragen to wear; to carry
träumen to dream
der **Traum("e)** dream
traurig sad
der **Treffpunkt(e)** meeting, date
einen Treffpunkt ausmachen to arrange a meeting
treiben to do
ich treibe Sport I do sport
trennbar separable
die **Treppe(n)** step, stairs
trinken to drink
trocken dry
der **Trödelmarkt("e)** flea market
tropisch tropical
trotzdem despite that
der **Truthahn(-hähne)** turkey
tschechisch Czech
tschüss bye
tun to do, make
es tut mir Leid I'm sorry
die **Tür(en)** door
türkisblau turquoise blue
typisch typical(ly)

U

üben to practise
über about; over
überall everywhere
überhaupt at all
überleben to survive
übernachten to spend the night
übernehmen to take over
die **Überraschung(en)** surprise
die **Übersicht(en)** overview, view
das **U-Boot(e)** submarine
übrig bleiben to remain, be left over
die **Übung(en)** exercise
die **Uhr(en)** hour; clock
wie viel Uhr ist es? what's the time?
es ist zwei Uhr it's two o'clock
die **Uhrzeit** time
um at, around
um acht Uhr at eight o'clock
um mich herum around me
um ... zu in order to
die **Umfrage(n)** survey
die **Umwelt** environment
der **Umweltbericht** environment report
die **Umwelt-freundlichkeit** environmental friendliness
der **Umweltschutz** environmental protection
unbeliebt unpopular
und and
unfreundlich unfriendly
ungefähr about, approximately
das **Ungeheuer(-)** monster
unheimlich incredibly; frightening
unmöglich impossible
unnatürlich unnatural
unregelmäßig irregular
uns us
unten under, below; among
unternehmen to undertake
der **Unterricht** lessons
der **Unterschied(e)** difference
die **Unterschrift(en)** signature
unterseits on the underside
unterwegs on the way, out and about
ununterbrochen

incessantly
unzählig countless
der **Urlaub(e)** holiday
usw. (und so weiter) etc.

V

die **Vanille** vanilla
der **Vater(¨)** father
der **Vegetarier(-)** vegetarian (m)
das **Vegetariercafé** vegetarian café
veraltet out-of-date
das **Verb(en)** verb
das **Verbgedicht** verb poem
verbessern to improve
verboten forbidden, banned
verbringen to spend
die **Vereinigten Staaten(pl)** the United States
verfügen to have
vergessen to forget
vergleichen to compare
verhüllen to cover
verkaufen to sell
der **Verkäufer(-)** sales assistant (m)
die **Verkäuferin(nen)** sales assistant (f)
das **Verkehrsamt(¨er)** tourist office
verknallt madly in love
verlassen to leave
verliebt sein to be in love
verlieren to lose
vermissen to miss
der **Verrückte(n)** madman
verschieden different
verschwinden to disappear
versprechen to promise
verstecken to hide
versuchen to try
verüben to commit
verunglücken to have an accident
der/die **Verwandte(n)** relation
das **Videogeschäft(e)** video shop
die **Videokamera(s)** video camera
die **Videokassette(n)** video cassette
viel much, many
vielen Dank many thanks
viel Spaß have fun
vier four
zu **viert** in a group of four
das **Viertel(-)** quarter

Viertel vor/nach drei quarter to/past three
vierzehn fourteen
vierzig forty
die **Villa (Villen)** villa
der **Vogel(¨)** bird
der **Vokabeltest(s)** vocabulary test
der **Vokal(e)** vowel
voll full, complete
voller full of
das **Volleyball** volley ball
völlig completely
das **Vollkornbrot(e)** wholemeal bread
von (+dat) from
von ... bis from ... until
vor (+acc/dat) before; to
es ist fünf vor sechs it's five to six
vorbei sein to be over
vor/bereiten to prepare
der **Vorbote(n)** herald
der **Vorhang(-hänge)** curtain
vorherig previous
vor/kommen to appear
vor/lesen to read out loud
der **Vorname(n)** first name
der **Vorschlag(-schläge)** suggestion
sich **vor/stellen** to introduce yourself
vor/stellen to imagine
stell dir vor imagine
vorüber/gehen to pass by
der **VW Käfer(-)** VW-beetle

W

die **Wahl(en)** choice
wählen to choose
wahr true, genuine
während during
die **Wahrheit** truth
wahrscheinlich probably
die **Wand(¨e)** wall
wann when
war/waren was/were (from **sein**)
die **Ware(n)** product
das **Warenangebot** product range
das **Warenhaus** department store
warm warm
wärmen to warm up
warten (auf) to wait (for)
warum why
was what
was für ...? what kind

of ...?

das **Waschbecken(-)** wash basin

die **Waschmaschine(n)** washing machine

das **Wasser** water
  der **Wassermolch** newt
  das **Wasserski** water skiing

der **Weg(e)** way, path; route
  die **Wegbeschreibung** direction
  wegen because of

das **Weihnachtsfest** Christmas celebrations
  weil because
  weinen to cry

die **Weisheit** wisdom

ich **weiß** I know (from **wissen**)
  weiß white
  weißlich-milchig milky-white
  weit far
  weitaus far
  weiter further
  weiter/fahren to drive on
  weiter/kommen to advance
  welche(r/s) which

der **Wellensittich(e)** budgerigar

die **Welt(en)** world
  der **Weltkrieg** world war
  die **Weltreise** world trip
  wenig few
  weniger als fewer than
  wenigstens at least
  wenn if
  wer who

der **Werbespot(s)** commercial

die **Werbung(en)** advertising
  werden to become
  wert sein to be of value

der **Western(-)** western

das **Wetter(-)** weather
  die **Wetterkarte** weather map
  die **Wetterkontrolle** weather check
  die **Wetterwoche** weather week
  wichtig important
  wie how; as
  wie oft how often
  wie viele how many
  wieder again
  wiederholen to repeat
  wiegen to weigh

Wien Vienna

die **Wiese(n)** meadow
  wie viel how much
  windig windy
  windsurfen to windsurf

der **Winter** winter
  wir we

er **wird** he becomes (from **werden**)
  wirklich really

in **Wirklichkeit** in reality
  wissen to know
  wo where

die **Woche(n)** week
  der **Wochenplan** plan for the week

das **Wochenende(n)** weekend
  wofür for what
  woher from where
  wohin to where
  sich wohl fühlen to feel comfortable
  wohnen to live

der **Wohnort(e)** place of residence

die **Wohnung(en)** flat

das **Wohnzimmer(-)** sitting room

die **Wolke(n)** cloud
  das **Wolkenbild** cloud picture
  wolkig cloudy
  wollen to want to

der **Wollpullover(-)** woollen jumper

das **Wort(¨er)** word
  das **Wortbild** word picture

die **Wortstellung** word order
  der **Wortwechsel** verbal exchange

das **Wörterbuch(¨er)** dictionary
  wunderbar wonderful

die **Wunschliste(n)** wish list
  wurde gebaut was built

die **Wurst(¨e)** sausage

die **Wüste(n)** desert

Z

die **Zahl(en)** number, figure
  zahlen to pay
  zählen to count
  zahlreich numerous
  zehn ten
  zehnmal ten times

der **Zeichentrickfilm(e)** cartoon film
  zeichnen to draw

die **Zeichnung(en)** picture
  zeigen to show

die **Zeit(en)** time
  zur Zeit at the moment
  die **Zeitlinie** time line

die **Zeitschrift(en)** magazine

die **Zeitung(en)** newspaper
  zerreißen to tear

der **Zettel(-)** piece of paper
  ziemlich quite, rather

das **Zimmer(-)** room
  die **Zimmerausstattung** furnishings

der **Zoo(s)** zoo
  zu too; (+ dat) to
  zu Hause at home
  zu/bereiten to prepare

der **Zucker(-)** sugar
  zuerst first
  zu/hören to listen to

der **Zuhörer(-)** listener (m)
  zu/knallen to slam shut
  zu/machen to close
  zunehmend increasing

der **Zungenbrecher(-)** tongue-twister
  zurück back
  zurück/kommen to return
  zusammen together

die **Zusammenfassung(en)** summary
  zusammen/kommen to come together
  zusammen/passen to match
  zusammen/rechnen to add up
  zusammen/stellen to put together

der **Zustand(¨e)** condition
  zu viel too much
  zu wenig too little
  zwanzig twenty
  zwar indeed
  zwei two

der **Zweifel(-)** doubt
  zweite(r/s) second

die **Zwiebel(n)** onion

der **Zwiebelsaft** onion juice
  zwischen between
  zwölf twelve
  zwölfmal twelve times

A

a(n) ein(e)
about ungefähr, etwa
above oben, über
abroad das Ausland
accent die Aussprache(n)
to **accompany** begleiten
according to je nach
accusative der Akkusativ
activity die Tätigkeit(en)
actually eigentlich
to **add** hinzu/fügen
address die Adresse(n)
   address book
   das Adressbuch
adventure das Abenteuer
advertising die
   Werbung(en)
to **advise** raten
aeroplane das Flugzeug(e)
after nach
afternoon
   der Nachmittag(e)
   in the afternoons
   nachmittags
afterwards danach
again nochmal, wieder
age das Alter(-)
   age group
   die Altersgruppe(n)
alarm system das
   Alarmsystem(e)
all alle(r/s)
   not at all überhaupt nicht
to be **allowed to** dürfen
almost fast
alone allein
along entlang
alphabet das Alphabet(e)
already schon
also, too auch
alternative die
   Alternative(n)
always immer
America Amerika
   American
   der Amerikaner(-)
   American amerikanisch
and und
animal das Tier(e)
annoyance der Ärger
anorexia die Magersucht
answer die Antwort(en)
to **answer** antworten,
   beantworten
any jegliche(r/s)
anything else? sonst noch
   etwas?

to **appear** vor/kommen;
   scheinen
apple der Apfel(¨)
April April
area die Gegend(en)
armchair der Sessel(-)
around (me) um (mich
   herum)
arranged angeordnet
to **arrive** an/kommen
art die Kunst
to **ask (for)** bitten (um), fragen
   (nach)
to **ask questions** Fragen
   stellen
assessment die
   Beurteilung(en)
assistant der
   Assistent(en)/
   die Assistentin(nen)
at um; an
   at eight o'clock
   um acht Uhr
atmosphere die
   Atmosphäre(n)
attic der Dachboden(-böden)
August August
Australia Australien
Austria Österreich
author der Autor(en)
autumn der Herbst

B

baby das Baby(s)
back zurück
backwards rückwärts
bacon der Speck(e)
bad schlecht, schlimm
badge das Abzeichen(-)
bag die Tasche(n)
baker's die Bäckerei(en)
bald head die Glatze(n)
banana die Banane(n)
bank die Bank(en)
   bank robber
   der Bankräuber(-)
bar chart das
   Balkendiagramm(e)
bath das Bad(¨er)
   bathroom
   das Badezimmer(-)
   bath tub
   die Badewanne(n)
bathing suit der
   Badeanzug(-anzüge)
battle die Schlacht(en)
Bavaria Bayern
to **be** sein
   to be your turn dran sein

beach der Strand(¨e)
bean die Bohne(n)
to **bear** leiden
beautiful schön
because weil, denn
because of wegen
to **become** werden
bed das Bett(en)
bedroom das
   Schlafzimmer(-)
beef das Rindfleisch
beer das Bier(e)
before bevor; vor
to **begin** an/fangen, an/treten
behind hinter
Belgium Belgien
to **believe** glauben
to **belong** gehören
besides außerdem
best beste(r/s)
   best of all am liebsten
better besser
between zwischen
big groß
bike das Rad(¨er)
bill die Rechnung(en)
biology Biologie
bird der Vogel(¨)
biro der Kuli(s)
birthday der Geburtstag(e)
biscuit das Plätzchen(-), der
   Keks(e), das Gebäck(e)
a **bit** ein bisschen
black schwarz
   blackboard
   das schwarze Brett
blancmange der Pudding(s)
blanket die Bettdecke(n)
blonde blond
blue blau
board das Brett(er), die
   Tafel(n)
boat das Boot(e)
bone der Knochen(-)
book das Buch(¨er)
   book shelf
   das Bücherregal(e)
   bookshop
   die Buchhandlung(en)
boredom die Langeweile
boring langweilig
boss der Chef(s)
both beide(r/s)
bowl die Schüssel(n)
box der Kasten(¨), das
   Kästchen(-)
boy der Junge(n)
Brazil Brasilien

bread das Brot(e)
break die Pause(n)
to **break** brechen
breakfast das Frühstück(e)
  to have breakfast
  frühstücken
to **bring along** mit/bringen
broken kaputt
brother der Bruder(¨)
brothers and sisters die
  Geschwister (pl)
brown braun
bubble die Blase
budgerigar der
  Wellensittich(e)
to **build** bauen
bungalow der Bungalow(s)
to **burn** brennen
bus der Bus(se)
  bus station
  der Busbahnhof
but aber, sondern
butter die Butter
to **buy** kaufen
bye tschüss

C

café das Café(s)
cake der Kuchen(-)
  cake shop die
  Konditorei(en)
calculator der
  Taschenrechner(-)
to **calculate** aus/rechnen
to **be called** heißen
campsite der
  Campingplatz(-plätze)
can die Dose(n)
can, to be able to können
  I can ich kann
cap die Mütze(n)
car das Auto(s)
card die Karte(n)
carpet der Teppich(e)
carrot die Karotte(n), die
  Möhre(n)
cartoon film der
  Zeichentrickfilm(e)
cash desk die Kasse(n)
cassette die Kassette(n)
castle das Schloss (¨er)
cat die Katze(n)
to **catch** ertappen
cathedral der Dom(e)
cauliflower der
  Blumenkohl(e)
CD die CD(s)
to **celebrate** feiern
cellar der Keller(-)

century das Jahrhundert(e)
certainly sicherlich
chain die Kette(n)
chair der Stuhl(¨e)
chance die Chance(n)
change das Kleingeld
to **change** ändern
channel der Kanal(¨e)
chapter das Kapitel(-)
chart das Diagramm(e)
to **chat** plaudern
cheap billig
cheese der Käse
chemistry Chemie
chess das Schach
chewing gum der
  Kaugummi(s)
chicken das Hähnchen(-)
child das Kind(er)
  only child
  das Einzelkind(er)
chimney der Schornstein(e)
Chinese chinesisch
chips die Pommes (frites) (pl)
chocolate die Schokolade(n)
chocolates die Pralinen (pl)
choice die Wahl(en)
choir der Chor(¨e)
to **choose** aus/wählen, wählen
Christmas Eve der
  Heiligabend
church die Kirche(n)
cinema das Kino(s)
circle der Kreis(e)
class die Klasse(n)
  classmate der Mitschüler
  (-)/die Mitschülerin(nen)
  der Klassenkamerad(en)/
  die Klassenkameradin(nen)
classroom das
  Klassenzimmer(-)
classical music klassische
  Musik
climate das Klima(s)
to **climb up** hinauf/steigen
clique die Clique(n)
clock die Uhr(en)
  it's two o' clock
  es ist zwei Uhr
to **close** zu/machen
clothes die Kleider (pl), die
  Kleidung, die Klamotten (pl)
cloud die Wolke(n)
cloudy bewölkt, wolkig
club der Klub(s)
coffee der Kaffee(s)
cola die Cola
cold kalt

to **collect** sammeln
Cologne Köln
colour die Farbe(n)
column die Spalte(n)
combination die
  Kombination(en)
to **come** kommen
comedian der Komiker(-)
comedy die Komödie(n)
comfortable bequem
comic strip der Comic(s)
comment der Kommentar(e),
  die Bemerkung(en)
commercial der
  Werbespot(s)
to **compare** vergleichen
completed ausgefüllt
completely komplett, völlig
complicated kompliziert
comprehensive school die
  Gesamtschule(n)
computer der Computer(-)
concert das Konzert(e)
condition der Zustand(¨e)
constantly ständig
to **contain** enthalten
to **continue** fort/setzen
continuous anhaltend
conversation das
  Gespräch(e)
cook der Koch(¨e)
to **cook** kochen
cool kühl
copy die Kopie(n)
corner die Ecke(n)
correct(ly) korrekt
to **correct** korrigieren
corresponding
  entsprechend
corridor der Flur(e)
to **cost** kosten
cough sweets die
  Hustenbonbons (pl)
counter der Schalter(-)
countless unzählig
country das Land(¨er)
to **cover** bedecken, verhüllen,
  beziehen
crafts die Handarbeiten (pl)
to **be crazy** spinnen
to **create** schaffen
crisps die Chips (pl)
crocodile das Krokodil(e)
crossroads die
  Kreuzung(en)
to **cry** weinen
cucumber die Gurke(n)
cuddly toy das Plüschtier(e)

cup die Tasse(n)
curly lockig
curried sausage die Currywurst(-würste)
curtain der Vorhang(-hänge)
customer der Kunde(n)
to **cycle** Rad fahren

D

daily routine der Tagesablauf
damp feucht
dance der Tanz(¨e)
to **dance** tanzen
dark dunkel
die Kamera(s) camera
date das Datum (Daten)
day der Tag(e)
deadly dull todlangweilig
Dear (on a letter) Liebe/r
  Dear Madam, sehr geehrte Dame,
  Dear Sir, sehr geehrter Herr,
December Dezember
to **decide** entscheiden
to **decorate** dekorieren, schmücken
deep tief
definite bestimmt
degree der Grad(e)
Denmark Dänemark
dense dicht
department store das Warenhaus(-häuser)
depressed deprimiert
to **describe** beschreiben
description die Beschreibung(en)
desk der Schreibtisch(e)
despite that trotzdem
dessert der Nachtisch(e)
detached house das Einfamilienhaus(-häuser)
detective der Detektiv(e)
detention das Nachsitzen(-)
dialogue, conversation der Dialog(e)
diary das Tagebuch(-bücher)
dictionary das Wörterbuch (¨er)
diet die Diät(en)
different (from) anders (als); verschiedene
difficult schwierig
dining room das Esszimmer(-)
direction die Richtung(en)
directly direkt

to **disappear** verschwinden
disco die Disko(s)
discount der Rabatt(e)
to **discover** entdecken
display die Ausstellung(en)
to **disturb** stören
to **do** machen, tun
doctor der Arzt(¨e), der Doktor(en)
dog der Hund(e)
door die Tür(en)
double bed das Doppelbett(en)
doubt der Zweifel(-)
to **draw** zeichnen
dreadful schrecklich
dream der Traum(¨e)
to **dream** träumen
dress das Kleid(er)
dressing gown der Bademantel (¨e)
drink das Getränk(e)
to **drink** trinken
to **drive** fahren
dry trocken
duck die Ente(n)
during während, im Laufe
dustbin der Mülleimer(-)

E

early früh
earphones der Kopfhörer(-)
earring der Ohrring(e)
to **eat** essen
edge der Rand(¨er)
egg das Ei(er)
  boiled egg gekochtes Ei
eight acht
eighteen achtzehn
eighty achtzig
either ... or entweder ... oder
elephant der Elefant(en)
eleven elf
end das Ende(n)
to **end** enden
endless endlos
engine der Motor(en)
England England
  English Englisch, englisch
enough genug
entry der Eintritt
environment die Umwelt
episode die Episode(n)
eraser der Radiergummi(s)
essay der Aufsatz(-sätze)
etc. usw. (und so weiter)
Europe Europa
European europäisch

even sogar
even better noch besser
evening der Abend(e)
evening meal das Abendessen(-)
every(one) jede(r/s)
everything alles
everywhere überall
exactly genau
example das Beispiel(e)
  for example zum Beispiel
excellent klasse
exchange partner der Austauschpartner(-)/die Austauschpartnerin(nen)
exciting aufregend
excuse die Ausrede(n)
excuse me Entschuldigung
exercise die Aufgabe(n), die Übung(en)
  exercise book das Heft(e)
exhausted erschöpft
exit der Ausgang(-gänge)
expensive teuer
experiment das Experiment(e)
extremely extrem
eye das Auge(n)

F

to **fall** fallen
  to fall asleep ein/schlafen
family die Familie(n)
  family tree der Stammbaum(-bäume)
famous berühmt
fan der Fan(s)
fantastic fantastisch, super toll
far weit, weitaus
farm der Bauernhof(-höfe)
fashion die Mode(n)
fashionable modisch
fat das Fett(e); dick
father der Vater(¨)
favourite Lieblings-
February Februar
the **Federal Republic** die Bundesrepublik
to **feel** sich fühlen
felt-tipped pen der Filzstift(e)
feminine das Femininum
festival das Fest(e)
few wenig
  fewer than weniger als

fifteen fünfzehn
fifty fünfzig
to fill füllen
  to fill out aus/füllen
film der Film(e)
finally als Letztes, schließlich
to find finden
firm die Firma (Firmen)
first erst, erste(r/s)
  at first zuerst
fish der Fisch(e)
to fish angeln
five fünf
flag die Flagge(n)
flat die Wohnung(en)
flat flach
floor der Fußboden
flower die Blume(n)
to fly fliegen
foggy neblig
to follow folgen
following folgende
food das Essen
football der Fußball
for für
forbidden verboten
to forget vergessen
form das Formular(e)
forty vierzig
fountain der Brunnen(-)
four vier
fourteen vierzehn
France Frankreich
free time die Freizeit
freezer die Tiefkühltruhe(n)
French Französisch
frequent häufig
Friday Freitag
fridge der Kühlschrank(¨e)
friend der Freund(e)/die Freundin(nen)
friendly freundlich
from von
  from ... until von ... bis
fruit das Obst
full satt; voll
  full of voller
fun der Spaß(¨e)
  have fun! viel Spaß!
funny lustig; komisch
further weiter
furniture das Möbelstück(e)

G

gap die Lücke(n)
garage die Garage(n)
garden der Garten(¨)
garlic der Knoblauch
geography Erdkunde

German Deutsch, deutsch
Germany Deutschland
to get bekommen, kriegen
to get up auf/stehen
girl das Mädchen(-)
to give geben
  give it here! gib her!
glass das Glas(¨er)
glasses die Brille(n)
glove der Handschuh(e)
to go gehen
  to go out aus/gehen
  to go shopping einkaufen gehen
  to go for a walk spazieren gehen
god der Gott(¨er)
goldfish der Goldfisch(e)
good gut
  good morning guten Morgen
goodbye auf Wiedersehen
gosh! Mensch!
government die Regierung(en)
to grab greifen
grammar die Grammatik
gran die Oma(s)
granddad der Opa(s)
grandfather der Großvater (-väter)
grandmother die Großmutter(-mütter)
Great Britain Großbritannien
great prima, toll, geil
Greece Griechenland
green grün
to greet grüßen
greetings (on a letter) Grüße
grey grau
groceries die Lebensmittel (pl)
ground floor das Erdgeschoss(e)
group die Gruppe(n)
to guess erraten
guest room das Gästezimmer(-)
guilt die Schuld
guinea pig das Meerschweinchen(-)
guitar die Gitarre(n)

H

hail der Hagel
it's hailing es hagelt
hair das Haar(e)
half halb
  it's half past two es ist halb drei
hamburger der Hamburger(-)
hamster der Hamster(-)
hand die Hand(¨e)
handball das Handball
handicrafts die Handarbeiten (pl)
to happen geschehen
happy glücklich
hard disc die Festplatte(n)
hard-working fleißig
hardly kaum
hat der Hut (¨e)
to hate hassen
to have haben
to have to müssen
he er
healthy gesund
to hear hören
heat die Hitze(n)
heavy schwer
hello grüß dich!, guten Tag, hallo, servus
help die Hilfe
to help helfen
helpful hilfsbereit
her ihr(e)
here hier
to hide verstecken
hi-fi die Stereoanlage(n)
High Street die Hauptstraße(n)
high hoch, hohe(r,s)
him ihn, ihm
  himself, herself, itself, themselves sich
hint der Tipp(s)
his sein(e)
history die Geschichte
hobby das Hobby(s)
holiday der Urlaub(e), die Ferien (pl)
Holland Holland
at home zu Hause
home economics Hauswirtschaft
homework die Hausaufgabe(n)
honest ehrlich
honey der Honig
horse das Pferd(e)

hospital das Krankenhaus (-häuser)
hot heiß
hotel das Hotel(s)
hour die Uhr(en), die Stunde(n)
   hours long stundenlang
house das Haus(¨er)
how wie
   how are you? wie geht's?
   how many wie viele
   how much wie viel
   how often wie oft
however jedoch, doch
huge enorm, riesig
hundred hundert
hungry hungrig

I

I ich
ice cream das Eis
ice hockey das Eishockey
ice-skate der Schlittschuh(e)
ID card der Personalausweis(e)
idea die Idee(n)
if wenn
ill krank
imagination die Fantasie
to **imagine** vorstellen
important wichtig
impossible unmöglich
to **improve** verbessern
in in
   in order to um ... zu
   in Chinese auf Chinesisch
increasing zunehmend
incredibly unheimlich
indeed zwar
information die Information(en)
information technology Informatik
interest das Interesse(n)
to be **interested (in)** sich interessieren (für)
interesting interessant
interview das Interview(s)
to **introduce yourself** sich vor/stellen
to **invent** erfinden
Ireland Irland
irregular unregelmäßig
it es, sie, er
Italy Italien
item der Artikel(-)
its sein(e)

J

jacket die Jacke(n)
jam die Marmelade(n)
January Januar
jeans die Jeans (pl)
jewel das Juwel(en)
jewellery der Schmuck
to **jog** joggen
joghurt der Jogurt(s)
journey die Reise(n)
juice der Saft(¨e)
July Juli
to **jump** springen
jumper der Pullover(-)
June Juni
just as genauso

K

kebab das Schaschlik(s)
ketchup der Ketschup
kilo das Kilo(s)
kilometre der Kilometer(-)
king der König(e)
kiosk der Kiosk(e)
kitchen die Küche(n)
to **knit** stricken
to **know** kennen; wissen

L

to **label** beschriften
language die Sprache(n)
last letzte(r/s)
   last night gestern Abend
   at last endlich
to **last** dauern
late spät
to **learn** lernen, erfahren
at **least** wenigstens
to **leave** lassen, verlassen
left linke(r/s)
lemonade das Limo, die Limonade
lessons der Unterricht, die Stunde(n)
letter der Brief(e); der Buchstabe(n)
lettuce grüner Salat
to **lie** liegen; lügen
life das Leben
light hell
list die Liste(n)
to **like** gefallen; mögen; stehen auf
   I (don't) like that das gefällt mir (nicht)
   I'd like ich hätte gern; ich möchte
to **listen to** zu/hören
to **live** leben; wohnen

logical logisch
long lang
loo das Klo(s)
to **look** schauen, sehen
   to look at an/schauen; an/sehen
   to look for suchen
   to look up nach/schlagen
to **lose** verlieren
   to lose weight ab/nehmen
loud laut
to **love** lieben
   in love verliebt
   madly in love verknallt
luckily glücklicherweise
lunch das Mittagessen(-)

M

magazine das Magazin(e), die Zeitschrift(en)
to **make** machen, tun, bilden
man der Herr(en); der Mann(¨er)
many viel(e)
map die Landkarte(n)
March März
masses jede Menge
to **match** zusammen/passen
May Mai
mayonnaise die Majonäse(n)
me (acc); myself mich
mealtime die Mahlzeit(en)
to **mean** bedeuten
meaning die Bedeutung(en)
meat das Fleisch
meeting der Treffpunkt(e)
member das Mitglied(er)
memory das Gedächtnis(se)
menu das Menü(s), die Speisekarte(n)
metal das Metall(e)
metre der Meter(-)
midday der Mittag(e)
middle die Mitte(n)
midnight die Mitternacht
milk die Milch
million die Million(en)
I don't mind mir ist es egal
mine mein(e)
mineral water das Mineralwasser
minute die Minute(n)
   just a minute Moment mal
mirror der Spiegel(-)
to **miss** vermissen

mistake der Fehler(-)
mixed gemischt
model das Modell(e)
moment der Moment(e)
  at the moment zur Zeit
Monday Montag
money das Geld(er)
mood die Laune(n)
  moody launisch
more (than) mehr (als)
morning der Morgen(-)
  this morning heute Morgen
  in the mornings morgens
most meiste(r/s)
  at the most höchstens
mostly meistens
mother die Mutter(¨)
motive das Motiv(e)
mouse die Maus(¨e)
moustache der Schnurrbart (-bärte)
Mr Herr
Mrs Frau
much viel
muesli das Müsli(s)
Munich München
murder der Mord(e)
mushroom der Pilz(e)
music die Musik(en)
must müssen
mustard der Senf(e)

N

name der Name(n)
  first name der Vorname
nature die Natur
near in der Nähe von, neben
necessary nötig
to **need** brauchen
negative negativ
nervous nervös
neuter das Neutrum
never nie
new neu
  New Year Neujahr
news die Nachrichten (pl)
newspaper die Zeitung(en)
next nächste(r/s)
  on the next day am Tag danach
nice nett, sympathisch
niece die Nichte(n)
night die Nacht(¨e)
nil null
nine neun
nineteen neunzehn
ninety neunzig

no longer nicht mehr
no nee, nein
no, none kein(e)
nobody niemand
nominative der Nominativ
normally normalerweise
not nicht
  not at all gar nicht
  not exactly nicht gerade
  not yet noch nicht
note die Notiz(en)
nothing nichts
November November
now jetzt, nun
  now and again ab und zu
number die Nummer(n), die Zahl(en), die Anzahl
numerous zahlreich
nut die Nuss (¨e)

O

object das Objekt(e)
October Oktober
of course natürlich
office das Büro(s)
often oft, häufig
oil das Öl(e)
old alt
on auf
  on Saturdays samstags
once einmal
  once a week einmal pro Woche; einmal in der Woche
one ein(e); eins; man
onion die Zwiebel(n)
only nur (noch)
to **open** auf/machen
opera die Oper(n)
opinion die Meinung(en)
opposite gegenüber
or beziehungsweise, oder
orange die Orange(n)
order die Reihenfolge(n)
to **order** bestellen; ordnen
other andere(r/s)
otherwise sonst
ought to sollen
out aus
out-of-date veraltet
outside draußen
over über
own eigen(e)
to **own** besitzen

P

to **pack** ein/packen
page die Seite(n)
to **paint** malen
pair das Paar(e)
paper das Papier(e)
paperclip die Klammer(n)
parents die Eltern (pl)
parrot der Papagei(en)
partly teilweise
partner der Partner(-)/die Partnerin(nen)
party die Party(s)
pattern das Muster(-)
to **pay** bezahlen, zahlen
  to pay attention auf/passen
pea die Erbse(n)
peace die Ruhe
pedestrian der Fußgänger(-)
  pedestrian zone die Fußgängerzone(n)
pencil der Bleistift(e)
  pencil case das Etui(s)
  pencil sharpener der Spitzer(-)
penfriend der Brieffreund(e)/ die Brieffreundin(nen)
people die Leute (pl)
per pro
percent das Prozent(e)
perfect perfekt
person der Mensch(en), die Person(en)
personality die Persönlichkeit(en)
pet das Haustier(e)
photo das Foto(s)
physics Physik
piano das Klavier(e)
picture das Bild(er), die Zeichnung(en)
piece das Stück(e)
  piece of paper das Blatt Papier
pilot der Pilot(en)
pink rosa
pizza die Pizza(s)
place der Ort(e)
  place of birth der Geburtsort
  place of residence der Wohnort
plan der Plan(¨e)
plate der Teller(-)
play das Stück(e)
to **play** spielen

	please bitte
I'm	**pleased** das freut mich
	pocket die Tasche(n)
	poem das Gedicht(e)
	point der Punkt(e)
	police die Polizei
	popular beliebt
	pork chop das Schweinekotelett(s)
	position der Platz("e)
	positive positiv
	post (office) die Post(Postämter)
	postcard die Postkarte(n)
	poster das Poster(s)
	potato die Kartoffel(n)
to	**practise** üben
to	**prepare** vor/bereiten, zu/bereiten
	present das Geschenk(e)
	pretty hübsch
	price der Preis(e)
	prison das Gefängnis(se)
	probably wahrscheinlich
	problem das Problem(e)
	product die Ware(n)
	programme das Programm(e), die Sendung(en)
	project das Projekt(e)
to	**promise** versprechen
	pupil der Schüler(-)/die Schülerin(nen)
to	**put** stecken, stellen
	to put in order ordnen
	puzzle das Rätsel(-)

Q

	quality die Qualität(en)
	quarter das Viertel(-)
	quarter to/past three Viertel vor/nach drei
	question die Frage(n)
to	**question** befragen
	quick schnell
	quiet ruhig
	quite ziemlich, ganz
	quiz das Quiz(-)

R

	rabbit das Kaninchen(-)
	radio das Radio(s)
	railway station der Bahnhof(-höfe)
	rain der Regen
	rainy regnerisch
	it's raining es regnet
	rarely selten
	rather eher; lieber

to	**read** lesen
	to read out loud vor/lesen
	ready fertig
	real(ly) echt
	really wirklich
to	**recite** auf/sagen
to	**record** auf/nehmen
	red rot
	regularly regelmäßig
	relation der/die Verwandte(n)
	religious studies Religion
to	**remain** übrig bleiben
to	**remember** sich erinnern (an)
to	**repeat** wiederholen
	report der Bericht(e)
to	**report** berichten, melden
to	**resemble** ähneln
	restaurant das Restaurant(s)
	result das Ergebnis(se)
to	**return** zurück/kommen
	rhyme der Reim(e)
	to rhyme with sich reimen auf
	right rechte(r/s); richtig
	on the right rechts
	to be right recht haben; stimmen
to	**rise** steigen
	rissole die Frikadelle(n)
	river der Fluss("e)
	role die Rolle(n)
	roll das Brötchen(-)
	roller-skate der Rollschuh(e)
	room das Zimmer(-), der Raum("e)
	round die Runde(n); rund, rundlich
	rude grob
	ruler das Lineal(e)
	Russian russisch
	rye bread das Roggenbrot(e)

S

	sad traurig
	safe sicher
	salad der Salat
	sales assistant der Verkäufer(-)/die Verkäuferin(nen)
	same selbe(r/s)
	Saturday Samstag, Sonnabend
	sausage die Wurst("e)
to	**say** sagen

	scarce knapp
	scarf der Schal(s)
	scene die Szene(n)
	scent der Duft("e)
	school die Schule(n)
	science die Naturwissenschaft(en)
	Scotland Schottland
	season die Jahreszeit(en)
	second die Sekunde(n); zweite(r/s)
to	**see** sehen, erblicken
	selection die Auswahl
to	**sell** verkaufen
to	**semi-detached house** das Doppelhaus(-häuser)
to	**send** schicken
	sentence der Satz("e)
	seperate getrennt
	September September
	series die Serie(n)
	seven sieben
	seventy siebzig
to	**shake** schütteln
	she sie
	shelf das Regal(e)
	shoe der Schuh(e)
	shop das Geschäft(e), der Laden(")
	short kurz
	shoulder die Schulter(n)
to	**show** zeigen
	shower die Dusche(n); der Schauer(-)
	side die Seite(n)
	signature die Unterschrift(en)
	silly doof
	similar ähnlich
to	**sing** singen
	singer der Sänger(-)/die Sängerin(nen)
	sink die Spüle(n)
	sister die Schwester(n)
to	**sit** sitzen
	sitting room das Wohnzimmer(-)
	six sechs
	sixteen sechzehn
	sixty sechzig
	skiing das Skifahren
	sky der Himmel
to	**sleep** schlafen
	slice die Scheibe(n)
	small klein
	smooth glatt
	snack bar der Schnellimbiss (e)

	snow der Schnee	

snow der Schnee
it's **snowing** es schneit
so so
  so many so viel
  so-called so genannt
sofa das Sofa(s)
solution die Lösung(en)
to **solve** lösen
some irgendein(e);
  manche(r/s); einige(r/s)
somebody jemand
something etwas
sometimes manchmal
somewhere irgendwo
song das Lied(er)
soon bald
I'm **sorry** es tut mir Leid
soup die Suppe(n)
Spain Spanien
  Spanish spanisch
to **speak** sprechen
specially besonders
speech bubble
  die Sprechblase(n)
to **spell** buchstabieren
to **spend** aus/geben;
  verbringen
  to spend the night
  übernachten
sport der Sport(-)
  to do sport Sport treiben
sporty sportlich
spring der Frühling
squash game
  das Squashspiel(e)
stable stabil
stadium das Stadion
  (Stadien)
stall die Bude(n)
to **stand** stehen
  to stand still
  stehen bleiben
to **start** beginnen
stationery die Schreibwaren
  (pl)
to **stay** bleiben
steak das Steak(s)
to **steal** stehlen, klauen
steep steil
step die Treppe(n)
step- Stief-
to **stick** kleben
sticker der Aufkleber(-)
still (immer) noch
stone der Stein(e)
to **stop** ab/halten, auf/hören
story die Geschichte(n)
storey der Stock(-),

das Stockwerk(e)
stove der Herd(e)
straight gerade; glatt
  straight ahead
  geradeaus
strange seltsam, komisch
strawberry die Erdbeere(n)
street die Straße(n)
strict streng
strong stark
student der Student(en)/
  die Studentin(nen)
stupid blöd, dumm
style der Stil(e)
subject das Fach(¨er); das
  Subjekt(e)
to **suffer (from)** leiden (an)
sugar der Zucker(-)
suggestion der Vorschlag
  (-schläge)
summer der Sommer(-)
sun die Sonne(n)
Sunday Sonntag
sunglasses die
  Sonnenbrille(n)
sunny sonnig
sure sicher
surname der
  Familienname(n)
surprise die
  Überraschung(en)
survey die Umfrage(n)
to **swap** tauschen
sweets die Bonbons (pl),
  die Süßigkeiten (pl)
to **swim** schwimmen
swimming pool das
  Schwimmbad(¨er), die
  Schwimmhalle(n)
Switzerland die Schweiz
symbol das Symbol(e)

T

table die Tabelle(n); der
  Tisch(e)
table lamp
  die Tischlampe(n)
to **take** nehmen
  to take place statt/finden
to **talk** reden
to **taste** schmecken
tasty lecker
tea der Tee(s)
teacher der Lehrer(-)/
  die Lehrerin(nen)
to **tear** zerreißen
to **telephone** an/rufen,
  telefonieren
  telephone number

die Telefonnummer(n)
television das Fernsehen,
  der Fernseher
  to watch television
  fern/sehen
temperature die
  Temperatur(en)
ten zehn
tennis das Tennis
terraced house das
  Reihenhaus(¨er)
terrible furchtbar, scheußlich
to **test** testen
than als
thank you danke
  many thanks
  vielen Dank
  thank you very much
  danke schön
that that
  that is das heißt
  that's (not) OK
  das geht (nicht)
  that's (not) right
  das stimmt (nicht)
the der, die, das
theatre das Theater(-)
then dann
there da, dort
  there is/are es gibt
  there you are
  bitte schön
therefore deshalb, dafür,
  also
these diese(r/s)
thief der Dieb(e)
thin dünn
thing das Ding(e),
  die Sache(n)
to **think** denken, meinen
  to think (of) halten (von)
  to think about
  nach/denken
third dritte(r/s)
thirteen dreizehn
thirty dreißig
this diese(r/s)
thought der Gedanke(n)
thousand das
  Tausend(e)/tausend
three drei
thriller der Krimi(s)
through durch
thunder storm das
  Gewitter(-)
Thursday Donnerstag
tiger der Tiger(-)
till bis

time die Zeit(en), die Uhrzeit
  what's the time?
    wie viel Uhr ist es?
timetable der Stundenplan
  (-pläne)
tired müde
to an; zu; nach
  it's five to six
    es ist fünf vor sechs
toast der Toast(e)
today heute
together gemeinsam,
  zusammen
toilet die Toilette(n)
tomato die Tomate(n)
tomorrow morgen
too auch; zu
  too little zu wenig
  too much zu viel
topic das Thema (Themen)
tourist der Tourist(en)
tourist office das
  Verkehrsamt(¨er)
town centre die Stadtmitte
town hall das Rathaus
  (-häuser)
town die Stadt(¨e)
toys die Spielwaren (pl)
traffic light die Ampel(n)
trainers die Sportschuhe (pl)
tray das Tablett(e)
tree der Baum(¨e)
true wahr
truth die Wahrheit
to **try** versuchen
  to try on an/probieren
T-shirt das T-Shirt(s)
Tuesday Dienstag
to **turn** drehen
twelve zwölf
twenty zwanzig
two zwei
type die Art(en), die Sorte(n)
typical(ly) typisch

U

uncle der Onkel(-)
under unten, unter
unfortunately leider
unfriendly unfreundlich
the **United States** die
  Vereinigten Staaten
unnatural unnatürlich
unpopular unbeliebt
up hinauf
us uns
to **use** benutzen
usually gewöhnlich

V

vegetables das Gemüse(-)
vegetarian der Vegetarier(-)
verb das Verb(en)
very sehr
vet der Tierarzt(-ärzte)
video camera die
  Videokamera(s)
Vienna Wien
village das Dorf(¨er)
visit der Besuch(e)
visitor der Besucher(-)
vocabulary test der
  Vokabeltest(s)
voice die Stimme(n)
volleyball das Volleyball
vowel der Vokal(e)

W

to **wait (for)** warten (auf)
to **wake up** auf/wachen
wall die Wand(¨e)
to **want to** Lust haben, wollen
war der Krieg(e)
wardrobe der
  Kleiderschrank(¨e)
warm warm
was/were (from **sein**)
  war/waren
wash basin das
  Waschbecken(-)
washing machine die
  Waschmaschine(n)
watch die Armbanduhr(en)
to **watch** gucken
  watch out! Achtung!
water das Wasser
way der Weg(e)
we wir
weak schwach
to **wear** tragen
weather das Wetter(-)
Wednesday Mittwoch
week die Woche(n)
weekend das
  Wochenende(n)
weight das Gewicht(e)
well na (ja)
I'm **well** es geht mir gut
wet nass
what was
  what's up? was ist los?
when wann; als
where wo
whether ob
which welche(r/s)
white weiß
Whitsun Pfingsten

who wer
why warum
to **win** gewinnen
window das Fenster(-)
windy windig
winter der Winter
with mit (+dat); bei(+dat)
  with pleasure gern(e)
without ohne
woman die Frau(en)
wonderful wunderbar
wood das Holz(¨er)
worksheet das Arbeitsblatt
  (-blätter)
word das Wort(¨er)(e)
world die Welt(en)
to **work** arbeiten, funktionieren
to **write** schreiben
  in writing schriftlich
wrong falsch

Y

year das Jahr(e)
yellow gelb
yes ja
yesterday gestern
you du; Sie; ihr
young jung
your dein(e), euer(e), Ihr(e)
youth der Jugendliche(n)
youth club der
  Jugendklub(s)
youth hostel
  die Jugendherberge(n)

Z

zoo der Zoo(s)